# DU MÊME AUTEUR

# LE JEÛNE ET LE FESTIN

Anita Desai

# LE JEÛNE
# ET LE FESTIN

*ROMAN*

*Traduit de l'anglais
par Anne-Cécile Padoux*

MERCURE DE FRANCE

BIBLIOTHÈQUE ÉTRANGÈRE
Collection dirigée par
Marie-Pierre Bay

Ouvrage traduit avec le concours du Centre national du livre

*Titre original :*
FASTING, FEASTING

*À ceux dont j'ai raconté l'histoire*

PREMIÈRE PARTIE

## 1

Sur la véranda qui surplombe le jardin, l'allée et le portail, ils sont assis tous les deux sur la balancelle grinçante, accrochée à un cadre métallique; les jambes ballantes, ils laissent pendre leurs sandales au bout de leurs pieds. Ils ont devant eux une table ronde et basse, couverte d'un napperon aux couleurs fanées, brodé de fleurs au milieu. Derrière eux, un ventilateur sur pied leur souffle de l'air chaud sur la nuque et le cou.

Les nattes de roseaux accrochées aux arcades de la véranda pour les protéger du soleil et de la poussière sont enroulées à présent. Des pigeons perchés sur les rouleaux conversent tendrement, picorent leurs tiques, battent des ailes. Leur fiente gicle sur les dalles de pierre au-dessous d'eux et leurs plumes flottent lentement dans l'air.

Les parents sont assis et se balancent régulièrement, d'avant en arrière. Ils dorment peut-être, ou somnolent — leurs paupières sont fermées —, mais ils parlent parfois.

« Aujourd'hui, nous avons des beignets pour le thé. Ce sera suffisant? Désirez-vous aussi des sucreries?

— Oui, oui, oui, il faut aussi des sucreries. Il faut des sucreries. Dis-le au cuisinier. Dis-le-lui tout de suite.

« — Uma! Uma!

— Il faut qu'Uma dise au cuisinier…

— Hé, Uma!»

Uma paraît à la porte, où elle reste immobile, impatiente. «Pourquoi criez-vous?

— Va dire au cuisinier…

— Mais vous m'aviez demandé de faire le paquet pour qu'il soit prêt lorsque le fils du juge Dutt viendra le chercher. Je suis en train de le ficeler.

— Oui, oui, oui, prépare le paquet, il faut qu'il soit prêt, il faut qu'il soit prêt quand viendra le fils du juge Dutt. Qu'est-ce que nous envoyons à Arun? Qu'est-ce que nous lui envoyons?

— Du thé. Un châle.

— Un châle? Un châle?

— Oui, le châle que maman a acheté…

— Que maman a acheté? Que maman a acheté?»

Agacée, Uma hausse les épaules. «Le châle marron que maman a acheté au Kashmir Emporium pour Arun, papa.

— Un châle marron du Kashmir Emporium?

— Oui, papa, oui. Au cas où Arun aurait froid en Amérique. Laissez-moi maintenant finir le paquet sinon il ne sera pas prêt quand le fils du juge Dutt viendra le chercher. Et il faudra alors l'envoyer par la poste.

— Par la poste? Par la poste? Non, non, non. C'est très cher, trop cher. C'est inutile si le fils du juge Dutt va en Amérique. Va préparer le paquet pour qu'il l'emporte. Va le préparer, Uma.

— Va d'abord parler au cuisinier, Uma. Dis-lui que les beignets, ce n'est pas assez. Papa désire des sucreries.

— En plus des beignets?

— Oui, il faut des sucreries. Et puis reviens, je vais te dicter une lettre pour Arun. Le fils du juge Dutt pourra l'emporter. Quand part-il pour l'Amérique?

— Et maintenant vous voulez que j'écrive une lettre? Quand je suis en train de faire le paquet pour Arun?

— Oh, oh, oh! le paquet pour Arun. Oui, oui, prépare le paquet. Il faut qu'il soit prêt. Prêt pour le fils du juge Dutt.»

Exaspérée, Uma s'en va en maugréant, ses cheveux gris hérissés, ses yeux myopes lançant des éclairs à travers ses lunettes. Les parents, momentanément troublés sur leur balancelle par cette soudaine invasion d'idées — les sucreries, le paquet, la lettre, les sucreries —, reprennent leur oscillation lente et régulière. Ils ont le regard fixé sur la chaleur miroitante de l'après-midi comme si le plateau du thé allait en surgir, chargé de sucreries et de beignets, et se matérialiser, pour venir à leur secours. De plus en plus impatients, ils se balancent, se balancent...

\*

Mamanetpapa. Mamanpapa. Papamaman. On avait peine à croire qu'ils aient jamais eu d'existence distincte, qu'ils aient été des entités distinctes, et non pas mamanpapa d'un seul trait. Pourtant, maman, fille de commerçants de la ville de Kanpur, avait vécu au sein de son immense famille jusqu'à son mariage avec papa, à l'âge de seize ans. Papa, né à Patna, était le fils d'un inspecteur des impôts qui avait brûlé d'une unique ambition, celle de lui donner la meilleure éducation possible. Il avait commencé par remporter des prix à l'école, puis, jeune homme, avait joué au tennis, fait des études de droit et s'était finalement constitué une solide clientèle. Du moins, c'est ce que les enfants avaient appris, surtout grâce à de vieilles photographies, des diplômes encadrés, des médailles ternies et des propos de parents en visite. Mamanpapa, eux, ne parlaient que rarement d'une époque où ils n'étaient pas une seule et même personne. Les quelques anecdotes que l'un ou l'autre racontait revêtaient une grande importance en raison de leur rareté, de leur singularité.

Maman disait : « De mon temps, dans ma famille, on ne donnait pas de sucreries, de noix, de bonnes choses à manger aux filles. Si on avait acheté quelque chose de spécial au marché, des sucreries ou des noix par exemple, c'était pour les garçons. Mais notre famille n'était pas si orthodoxe que ça : notre mère et nos tantes nous en glissaient en secret. » Ce souvenir, les gâteaux, le secret, la faisait rire.

Papa disait : « Quand nous étions enfants, nous n'avions pas l'électricité. Si nous voulions étudier, on nous envoyait nous asseoir, avec nos livres, sous les réverbères. Pendant les périodes d'examens, il y avait tout un cercle d'étudiants, assis là, qui récitaient leurs leçons à haute voix ; on avait du mal à se concentrer sur les manuels de droit quand les autres récitaient des théorèmes, des vers sanskrits, ou des dates de l'histoire d'Angleterre. Mais nous y sommes arrivés : nous avons été reçus à nos examens. »

Papa disait : « Le meilleur étudiant de ma promotion étudiait jour et nuit, jour et nuit. Nous avons découvert comment il pouvait étudier autant. En période d'examens, il se coupait les cils ; quand ses yeux se fermaient, ses cils le picotaient, ça le réveillait, alors il se remettait au travail. »

Les histoires de papa avaient tendance à être pénibles. Celles de maman tournaient autour de la nourriture, les sucreries surtout, et de la famille. Mais elles étaient peu nombreuses et brèves. Les enfants auraient pu se sentir frustrés : tant de choses non dites, laissées à l'imagination... Or le passé ne les intéressait guère car papamaman semblaient se suffire à eux-mêmes. N'étant plus qu'une seule et même personne, ils avaient acquis tant de solidité, de stature, d'autorité qu'ils étaient déjà suffisamment impressionnants ; ils n'avaient pas besoin d'histoires ou d'origines différentes pour paraître encore plus immenses.

Parfois, on entrevoyait ce qu'ils avaient été avant d'être réunis dans leur existence jumelle, sur la balancelle de la véranda. Il arrivait qu'Uma soit étonnée, embarrassée même — par exemple, en voyant maman jouer au rami avec ses amies en cachette car papa avait l'esprit trop élevé pour approuver toute espèce de jeu de hasard. Lorsque maman se rendait le matin chez les voisins pour jouer aux cartes, elle n'allait pas jusqu'à soulever son sari jusqu'aux genoux pour sauter par-dessus la haie, mais c'était un peu l'impression qu'elle donnait. Ses manières — et le curieux jargon qui accompagnait le jeu — se faisaient coquettes, enfantines. Ses joues se gonflaient à mesure qu'elle y fourrait les noix et les feuilles de bétel qu'on lui offrait — autre péché mignon désapprouvé par papa ; ses yeux brillaient de malice tandis qu'elle renversait la tête en arrière et riait sans sembler se soucier des convenances. Elle serrait ses cartes contre sa poitrine et battait des cils d'un air provocant. Si Uma se penchait au-dessus d'elle pour regarder la partie, ou si Aruna s'approchait pour voir pourquoi sa mère paraissait si satisfaite de ses cartes, elle distribuait de petites tapes à ses filles comme à deux mouches importunes. «Allez, allez jouer avec vos amies.»

Puis elle rentrait à la maison pour le déjeuner, se frayant un passage à travers un trou dans la haie, suivie d'Uma et d'Aruna ; dès qu'elle arrivait sur la véranda, elle retrouvait ses manières habituelles, son air de réserve circonspecte, de sévérité, de lasse bienséance.

Quand papa, de retour du bureau, lui demandait ce qu'elles avaient fait toute la matinée, elle répondait d'un ton languissant, en soupirant et en s'éventant : «Il faisait siiii chaud, que pouvait-on faire? Rien.»

Papa, lui, ne se laissait jamais aller, bien au contraire. Après avoir appelé le chauffeur et lui avoir ordonné d'avancer la voiture, il montait dedans avec une hâte qui laissait penser que le moindre retard pouvait provoquer une catastrophe. Les rares fois où elles allaient le chercher à son cabinet, elles le trouvaient assis derrière un immense bureau, tel le satrape de quelque province éloignée, s'épongeant la nuque avec son grand mouchoir, et donnant des ordres d'un ton bref à son secrétaire, sa dactylo et ses clients, chacun de ses gestes et de ses mimiques contribuant à renforcer la carapace de son autorité qui l'enveloppait alors comme d'une chape de plomb aux reflets mats.

Maman empaquetait soigneusement ses affaires de tennis et les confiait au planton du bureau venu les chercher à bicyclette; il coinçait le sac sous un crampon métallique et repartait. Maman, plongée dans ses pensées, le regardait passer le portail et pédaler sur la route.

Uma se demandait si sa mère se représentait papa en train de se changer, dans son bureau, derrière le rideau de toile cirée verte qui masquait un angle de la pièce. Les doigts sur la bouche, elle étouffait un petit rire.

Puis maman s'asseyait sur la balancelle de la véranda, toute seule, et attendait le retour de papa tout en surveillant distraitement les petites filles qui jouaient sur un bout de pelouse desséchée où elles dessinaient un jardin avec des cailloux, des feuilles, des branches et des pétales d'œillets d'Inde. Quand elles se querellaient trop bruyamment, leur mère intervenait d'un ton irrité.

L'après-midi s'étirait ainsi jusqu'au crépuscule qui se voilait de brume, et la voiture revenait enfin. Papa en sortait prestement et gravissait d'un bond les marches de la véranda en balançant sa raquette de tennis. Il portait le large short de cotonnade blanche envoyé par maman, qui battait ses cuisses maigres. Les boucles métalliques de sa ceinture avaient fait des marques de rouille à la taille. Maman reprochait souvent au blanchisseur de rapporter ces shorts avec des taches de rouille. Elle le grondait aussi parce qu'il cassait les grands boutons blancs, qu'il lui fallait ensuite remplacer, lunettes sur le nez, et lèvres serrées tant elle s'appliquait. Papa portait également une chemise blanche à manches courtes et à liséré vert ou bleu. L'effort, le succès, la transpiration faisaient briller son visage. «J'ai battu Shankar, six-cinq, six-deux», annonçait-il en passant devant elles à grandes enjambées pour se rendre à son cabinet de toilette, ses chaussettes effondrées en tire-bouchon sur ses chevilles. Elles l'entendaient jeter sa raquette avec un grognement de satisfaction.

Personne ne parlait sur la véranda. Maman était immobile, comme frappée de stupeur par les succès, les prouesses de papa. On entendait alors tinter un seau, puis des clapotis ; un flot d'eau savonneuse s'échappait d'un tuyau sur le côté de la maison, repoussant les feuilles sèches et la poussière pour disparaître dans une flaque boueuse sous les buissons de basilic et de jasmin. Les filles regardaient, fascinées.

Se réveillant soudain, maman s'écriait : «Uma! Uma! Dis au cuisinier d'apporter sa citronnade à papa!»

Uma s'élançait en courant.

Il y avait des mondanités, bien sûr — la carrière de papa l'exigeait souvent —, et les enfants y assistaient parfois. Papa s'accordait alors avec satisfaction un petit whisky à l'eau. Après quoi il se mettait à faire ce qui, pour ses enfants, était des efforts plutôt redoutables de jovialité. Ses plaisanteries étaient toujours dirigées contre autrui et assez féroces, dissimulées sous la cordialité qui lui semblait appropriée à l'ambiance d'un dîner ou d'une réception au club. Après avoir fait se tortiller d'embarras avec ses facéties quelque jeune magistrat, ou rappelé à un juge plus âgé un incident que celui-ci aurait préféré oublier et à propos duquel il n'obtenait comme réponse qu'une moue amère, papa partait d'un grand éclat de rire. Il mesurait le succès de ses plaisanteries au plus ou moins grand malaise qu'elles provoquaient chez ses interlocuteurs. C'était sa façon à lui de s'imposer ; il rejetait la tête en arrière et s'esclaffait d'un air triomphant ; il semblait même gagner physiquement en stature — laquelle était médiocre. Une personne non prévenue aurait pu croire que papa était de bonne humeur. Mais la famille n'était pas dupe : elle savait qu'il était en fait inquiet, troublé par ce qu'il considérait comme une éventuelle mise en cause de sa position. Elle était soulagée lorsqu'il retrouvait son humeur normale, c'est-à-dire taciturne, son autorité étant incontestée et inébranlable.

On avait des excuses si l'on pensait que le rôle choisi par papa était d'être renfrogné, et celui de maman, de gronder. Puisque chaque adulte doit jouer un rôle, et que tel était celui de leurs parents, ce choix n'était pas mis en question par les enfants. Du moins, pas tant qu'ils furent enfants.

## 2

Papa a commandé la voiture. Il faut un peu de temps au chauffeur pour se changer et mettre son uniforme, et encore un peu pour mettre le moteur en marche, sortir l'auto du garage (depuis que papa a pris sa retraite, voiture et chauffeur sont aussi un peu retraités et rarement convoqués). Papa est debout sur les marches de la véranda et regarde le véhicule affaissé et rouillé progresser péniblement, avec des hoquets et des grondements de protestation. Son regard est impassible. Lorsque Uma lui dit : «Cette Rover va un jour tomber en panne et ne plus jamais repartir, elle est si *vieille*», il ne réagit pas, comme s'il ne l'entendait pas, ou préférait ne pas l'entendre. La voiture, relique du passé de papa, finit par arriver sous le porche. Papa prend place à côté du chauffeur et attend que maman et Uma grimpent à l'arrière; il les emmène se promener au parc. Il a passé presque tout le dimanche à faire les cent pas sur la véranda, brandissant de temps en temps les bras au-dessus de sa tête, ou joignant ses mains, ou encore immobile, ployant les genoux, comme pour commémorer le temps où il jouait au tennis, où il était jeune et vigoureux. Il a dit à sa femme et à sa fille qu'elles devaient faire un peu d'exercice, qu'elles étaient restées trop longtemps assises dans la maison. On les emmène donc au parc.

À peine sont-ils devant les grilles du parc, hautes et larges, aux entrelacs de fer forgé magnifiques mais affaissés à présent, que papa bondit de la voiture et se précipite en avant. Malheureusement, il y a beaucoup de monde en cette fin d'après-midi de dimanche, des gens assis en groupe et piqueniquant, ou se promenant autour des parterres de cannas et de la fontaine où il n'y a plus d'eau. Papa rencontre tant d'obstacles sur son chemin — un enfant jouant au ballon, une jeune mère avec un bébé marchant à peine — qu'il est obligé de les dépasser au pas de charge, tête baissée, épaules redressées, sans les regarder.

Maman et Uma s'efforcent de le suivre, mais se laissent facilement distraire. Elles s'arrêtent pour regarder un jardinier tailler un buisson en forme de paon, ou un jacaranda en pleine floraison, dont les fleurs d'un tendre bleu pâle s'épanouissent sur ses branches nues. Ou encore pour écarter un chien impétueux qui s'est roulé dans la boue — un tuyau d'arrosage a inondé le chemin — et s'ébroue en éclaboussant les passants avec désinvolture. Elles s'arrêtent net à la vue d'un vieillard décharné, vêtu d'un *dhoti*[1] de mousseline si fine qu'elle en est diaphane, absorbé dans ses exercices de yoga, qu'il pratique avec une concentration totale, comme s'il était absolument seul dans ce parc si animé. Maman serre le pan de son sari autour de ses épaules et émet des « Tch, tch… » pour exprimer sa désapprobation devant une telle exhibition.

Levant les yeux, elles aperçoivent papa bien loin en avant, qui marche à grands pas pressés comme s'il allait à un rendez-

---

1. Pièce d'étoffe que les hommes se drapent autour des reins. (*Toutes les notes sont de la traductrice.*)

vous. Rien ni personne ne le fait s'arrêter. Maman pousse un petit grognement de contrariété et dit à Uma qu'elles continueront à se promener toutes seules sans essayer de le rattraper. Paisiblement, elles font le tour du parc en suivant un sentier bordé de cannas qui passe contre les grilles, et faisant semblant de ne pas remarquer les vendeurs de cacahuètes et de glaces qui offrent leur marchandise à travers les barreaux en hélant les passants. Il flotte une odeur de pois chiches épicés et grillés ; Uma en a l'eau à la bouche, mais décide de ne rien dire. De loin en loin, elles aperçoivent la silhouette de papa : avec son short d'un blanc éclatant et sa sombre énergie, il tranche sur cette foule flânant sans but, désordonnée. Quand elle le reconnaît, maman bat un peu des cils. D'admiration ? De fierté ? Uma ne le sait jamais.

Juste au moment où elles ont fait le tour du parc et se retrouvent à la grille d'entrée où les attendent le chauffeur et la voiture, papa arrive lui aussi. Synchronisation magique. Il a naturellement fait trois fois le tour du parc alors qu'elles ne l'ont fait qu'une seule fois, mais il se refuse à paraître satisfait. «Montez, dit-il avec impatience. Je vous attendais. Que vous êtes lentes. Que vous êtes lentes… Montez. Montez. Dépêchez-vous maintenant.

— Oh là là, papa, pourquoi nous sommes si pressés ?» dit Uma, qui est montée précipitamment dans la voiture derrière maman.

Pendant tout le chemin du retour, papa donne des ordres au chauffeur. «Tourne ici. Par ici, pas par là. Accélère. Stop ! Tu ne vois donc pas le bus devant toi ? C'est bon maintenant, vas-y. Plus vite, plus vite. Aïe, aïe, aïe, que tu es lent, que tu es lent !»

«Pourquoi est-ce qu'on se dépêche tellement ?» demande Uma d'une voix plaintive.

De retour à la maison, maman s'effondre et n'est plus qu'un tas de cotonnade sans vie. D'une voix mourante, elle murmure : « As-tu dit au cuisinier de préparer la citronnade ? »

Uma va s'occuper de la citronnade et mamanpapa s'installent sur la balancelle, se débarrassent de leurs souliers, laissent pendre leurs jambes, soupirent, se calent commodément sur leur siège et redeviennent les deux parties d'une entité, côte à côte, offrant au monde le même visage indéchiffrable.

*

Lorsque des visiteurs venaient prendre des nouvelles de leur santé, l'un des deux répondait à la première personne et parfois à la troisième personne du singulier, mais cette réponse était donnée au nom des deux. Si papa exprimait une opinion sur le député local ou sur les chances du gouvernement aux prochaines élections, maman ne disait rien car il avait parlé également en son nom. Quand maman évoquait des soldes où elle avait l'intention d'acheter des torchons, ou encore de la hausse du prix de l'argent qui l'incitait à se demander si ce n'était pas le moment de vendre son argenterie, papa poussait des grognements approbateurs car ses pensées étaient à l'unisson de celles de maman. Leurs opinions différaient si rarement que si maman défendait à Aruna de porter un collier de perles pour aller à la séance de l'après-midi au cinéma Regal, ou si papa décidait qu'Uma ne pouvait pas suivre de cours de musique après l'école, il était inutile d'implorer un verdict différent auprès de l'autre parent : de toute manière, il n'en donnerait pas.

Il leur arrivait bien sûr de ne pas être du même avis. En fait, chaque jour à la même heure, quand il s'agissait de déci-

24

der du menu des repas, s'amorçaient de chauds débats ; autrement, cela aurait été contraire à l'usage. Il était vraiment extraordinaire de voir à quel point les repas offraient un terrain propice à discussion et à désaccords. Mais il était aussi impossible de ne pas voir qu'on revenait toujours à la première décision : si maman avait proposé du riz et un cari de mouton, ce serait alors ce menu-là et nul autre, quelles qu'aient été les idées séduisantes survenues au cours de la discussion, pilaus, kebabs, koftas… Cela faisait partie du processus normal.

Les filles avaient appris à ne jamais compter sur des divergences, des désaccords — ils se produisaient si rarement qu'elles auraient pu ne pas les remarquer, n'était leur sensibilité extrême à la température et à l'atmosphère de la maison et leur entraînement à saisir le moindre indice de discordance, de dissonance.

Et il y avait eu une fois, dans cette famille, un désaccord très grave, qui avait pris les proportions d'une catastrophe naturelle et les avait tous laissés en état de choc, comme après une inondation ou un incendie. C'était maman, et non papa, qui leur avait assené ce coup.

Alors qu'Uma était déjà adulte — dans une certaine mesure, du moins — et qu'Aruna venait de découvrir ce que c'était que d'avoir ses règles, maman s'aperçut qu'elle était enceinte.

Ses filles avaient mis un certain temps à comprendre ce qui se passait, ce qui provoquait tant de chuchotements, de discussions furtives, de visites du docteur ou chez le docteur. Des parentes âgées avaient été convoquées, des conciliabules avaient lieu. Maman, couchée en travers de son lit, les yeux gonflés à force de pleurer, sanglotait. La mine sombre de papa trahissait sa préoccupation et son embarras. L'atmosphère était lourde de secrets, comme une ampoule pleine de sang. Les filles tendaient l'oreille pour entendre ce qui se disait, frémissaient. C'était incompréhensible, à certains égards osé et même obscène, mais, sans comprendre les propos, elles en saisissaient l'intonation, et même le sens. Il s'agissait de quelque chose de grossièrement physique, de *sexuel.* Ce mot vibrait dans leur gorge et elles serraient les lèvres pour ne pas le laisser échapper. Uma avait la vision d'un cochon affolé qu'elle avait aperçu dans le bazar, qui se débattait pour se sauver des mains du boucher ; elle se souvenait des gémissements et des cris de chiens s'accouplant derrière les logements des domestiques, de papa ordonnant au mali [1] de les chasser avec des bâtons. La vision d'Aruna était d'ordre plus intime : jupons et saris soulevés, jambes s'agitant dans la nuit, *nues,* sous la moustiquaire. Elles avaient entendu des bruits étouffés s'échapper involontairement de derrière les rideaux. Aucune porte n'était jamais fermée dans cette maison ; des portes closes impliquaient des secrets, des secrets indécents, inadmissibles. L'Autorité pouvait donc entrer, l'air sévère, et chercher à surprendre l'indécence, la souillure. Souillure du sang humain, du sang féminin. Mais quand il s'agissait des parents, on ne regardait pas. On se regardait soi-même, avec honte. Pourtant, elles tendaient encore l'oreille. Finalement, elles furent éclairées par les domestiques. L'ayah [2] leur dit ce qui aurait été évident pour quelqu'un qui avait des yeux pour voir : c'était une grossesse tardive.

Maman voulait désespérément y mettre un terme. Jamais elle n'avait été aussi malade et, disait-elle en pleurant, elle était prête à subir les tourments de l'enfer pour ne plus être

---

1. Jardinier.
2. La bonne d'enfant.

accablée de nausées. Mais papa ne voulait pas en démordre. Oui, ils avaient deux filles, déjà grandes évidemment, mais ils n'avaient pas de fils. Quel homme renoncerait à la possibilité d'avoir un fils?

Il fallut accepter cette grossesse. Maman resta tout l'été étendue sur son lit, gémissant, se plaignant de se sentir trop lourde, d'avoir mal au cœur. Le ventilateur tournait au-dessus d'elle avec un grincement régulier et les lézards se poursuivaient mutuellement en poussant de petits cris. L'ayah, qui avait pris soin d'Aruna quand elle était petite, et qu'on avait rappelée de son village où elle s'était retirée, était assise aux pieds de maman et lui massait les jambes avec des mots réconfortants et apaisants. Uma et Aruna, tour à tour perturbées par l'atmosphère de la chambre de la malade et excitées par ce qui allait arriver, avaient à peine vu le temps passer lorsque cet été difficile se termina. Quand survint la mousson, que l'air devint humide et étouffant, que l'on fut envahi par les moustiques, que les geckos se mirent à courir après les mouches, maman fut conduite à l'hôpital Queen's Mary pour les Femmes et les Enfants, et délivrée du fardeau qui l'avait fait tant souffrir, un fils.

Un fils.

La famille entière s'immobilisa autour du lit de maman pour contempler ce prodige. Bien qu'Aruna ait dit : « Ce qu'il il est rouge, ce qu'il est *laid*!» avant qu'on ne l'ait fait taire en la poussant du coude, bien qu'Uma se soit révélée incapable de tenir dans ses bras quelque chose d'aussi fragile et précieux, ils étaient tous profondément conscients du caractère merveilleux de cette naissance. Les traits de maman, encore contractés après son accouchement difficile, commencèrent à se détendre peu à peu et prirent une expression de fierté résignée. Expression qui, à partir de ce moment —

Uma en fut frappée par la suite —, devait devenir habituelle chez elle. Dès le début, ce fut papa qui retint leur attention. À l'hôpital, il parut maîtriser, retenir ses émotions grâce à son formidable sang-froid. L'effort était tel qu'il en avait le visage crispé, que la transpiration coulait sur son cou et trempait sa chemise. Ce n'est qu'au ton brusque des ordres qu'il donna aux infirmières, à l'ayah, à ses filles, et même à maman étendue sur son lit, qu'il laissa deviner ses sentiments. Puis il entraîna rapidement ses filles, presque avant d'avoir réellement regardé son fils. En fait, il avait détourné les yeux, comme si ce chétif petit être n'avait aucun rapport avec le moment présent, et risquait même de décevoir.

Et pourtant, dès qu'ils arrivèrent à la maison, papa bondit hors de la voiture et annonça la nouvelle à tue-tête à tous ceux qui se trouvaient là. Les domestiques, les parentes âgées, tous rassemblés à la porte, assistèrent au spectacle le plus étonnant de leur vie : papa, dans sa jubilation, sauta dans le hall par-dessus trois chaises, l'une après l'autre, comme un gamin jouant à saute-mouton, cheveux au vent, et agitant ses bras en l'air. «Un garçon! cria-t-il, un gar-çon! Arun, enfin un Arun!» Il s'avéra qu'à la naissance de la seconde fille, ils avaient déjà choisi, dans l'espoir d'un fils, le nom d'Arun. Qu'on avait dû changer, avec déception, en Aruna.

Uma et Aruna, restées sous le porche, se serrèrent l'une contre l'autre, abasourdies.

Uma ne surmonta jamais l'étonnement qu'elle avait éprouvé lors de cet événement extraordinaire, de loin plus mémorable que la naissance elle-même. Quant à Aruna, c'est peut-être à ce moment qu'avait commencé pour elle toute une vie de résistance, d'assurance imperturbable.

Quand maman revint à la maison, faible, épuisée et irritable, elle essaya de montrer à Uma comment bien plier les couches, préparer le lait coupé d'eau, bercer le bébé jusqu'à ce qu'il s'endorme quand il hurlait parce qu'il avait tout le corps enflammé de boutons de chaleur. Uma, malheureusement, était comme d'habitude maladroite, instable, laissait tomber et cassait les objets ; effrayée, elle se débarrassait avec brusquerie d'un petit frère beaucoup trop petit, trop précieux et trop fragile.

« Il faut que j'aille faire mes devoirs, disait-elle à sa mère. Que je fasse mes opérations, ma rédaction...

— Laisse tout ça », lui disait maman d'un ton péremptoire.

Uma avait déjà reçu cette injonction de sa mère qui n'avait jamais pris au sérieux son travail scolaire, n'ayant pas été à l'école elle-même. « Nous avions un précepteur », disait-elle avec insouciance, quand ses filles lui demandaient comment il se faisait qu'elle ne soit jamais allée à l'école. « Il venait à la maison nous donner des leçons : un peu de chant, un peu de... hum... » Elle devenait vague. « Nous nous sauvions et nous nous cachions », reconnaissait-elle avec un petit rire. Uma essaya alors de lui expliquer que, si elle ne faisait pas ses devoirs à la maison, elle serait envoyée à mère Agnès avec un mot.

« Mais nous ne t'enverrons pas à mère Agnès, ni à l'école », dit maman.

L'expression d'Uma, lorsqu'elle leva les yeux du monceau de couches qu'elle était en train de plier, parut irriter maman, qui agita ses doigts de pieds et déclara d'une voix tranchante : « Nous ne t'enverrons plus à l'école, Uma. Tu resteras à la maison pour t'occuper d'Arun. »

Uma regarda autour d'elle, cherchant une explication, un soutien. Comme il s'agissait d'instruction, papa viendrait sûrement à son secours. Il était instruit, c'était d'ailleurs lui qui l'avait envoyée à l'école des sœurs.

Uma aurait eu de la peine à expliquer ce qui l'attirait tant à l'école des sœurs. Les détails visibles auraient paru banals : la règle stricte qui exigeait que les élèves ne soient admises à la réunion du matin que si on avait vérifié à la porte que leurs souliers étaient cirés, leurs ongles coupés court et sans vernis, leurs rubans de cheveux, blancs et non de couleur ; le piano sur lequel sœur Teresa martelait les cantiques avec tant de conviction, tant de régularité rythmique ; mère Agnès, merveilleusement calme et posée, les pieds bien plantés dans de larges sandales, un livre de prières dans les mains, qu'elle lisait de sa voix grave et paisible qui semblait couler entre les élèves comme un lent fleuve sombre ; son bureau bien rangé vers lequel Uma était fréquemment dépêchée avec un mot de son professeur et où elle regardait avidement autour d'elle : l'image, au mur, d'un Jésus aux cheveux d'or tenant un agneau dans ses bras, la gravure en couleur sur la cheminée représentant un enfant au visage baigné de larmes, les yeux levés vers un coin du cadre doré où brillait une étoile argentée ; le vase en cuivre bien astiqué sur le bureau et le raide bouquet de fleurs fraîches sur le bureau, le napperon d'un blanc immaculé sur l'étagère, l'immense pendule près de la porte au formidable tic-tac, la vue sur un jardin merveilleusement soigné, les longues vérandas encadrant un enclos que les élèves pouvaient regarder mais où elles ne pouvaient aller courir car l'herbe était trop précieuse et les roses trop rares…
Uma aurait sans doute aussi invoqué les sports de plein air qui se pratiquaient avec enthousiasme sur le terrain de jeux, ponctués par les coups de sifflet stridents de miss d'Souza ; la propreté immaculée de l'infirmerie où se trouvait toujours un

remède pour chaque mal de tête, chaque contusion ou chaque coupure; les cahiers neufs aux pages réglées et les manuels aux caractères bien noirs et aux feuillets épais qu'on leur distribuait au début du trimestre, avec une règle en bois et une gomme neuves; les dictons et proverbes cités par les religieuses dans leurs admonestations qui semblaient si raisonnables, si indiscutables («À quoi bon pleurer sur du lait répandu?» et «Rien ne sert de courir, il faut partir à point»); la célébration de Noël et de Pâques, les fêtes des saints.

Elle aurait reconnu qu'elle aimait cette vie bien réglée, la rationalité de tout le système, chaque élément ayant sa fonction et sa raison d'être. Elle aurait expliqué à quel point elle appréciait qu'on réponde à chaque question, qu'on dissipe chaque doute. Toute petite, elle avait chanté plus fort que les autres enfants de sa classe :

*Jésus m'aime; j'en suis sûre,*
*Car la Bible me l'assure!*

Elle savait que quelque chose de secret se passait dans la petite chapelle où les élèves n'étaient pas admises, et où l'on pouvait seulement apercevoir parfois une religieuse en prière, agenouillée devant un autel où brillait dans l'ombre un reflet doré; elle savait que c'était d'une certaine manière lié aux sentiments obscurs qu'éveillaient en elle les paroles que l'on chantait pendant la prière :

*Le Seigneur est mon berger, rien ne me manque.*
*Sur des prés d'herbe fraîche il me fait reposer.*
*Vers les eaux du repos il me mène,*
*Il y refait mon âme...*

La simplicité, la régularité apparentes de cet univers recelait à l'évidence des cases secrètes, sombres et mystérieuses, traversées de promesses paradisiaques.

Si bien qu'elle ne comprenait pas pourquoi les autres, comme Aruna, maudissaient l'école, la détestaient avec une telle rancœur. Uma arrivait en classe avant tout le monde et, chaque jour, cherchait une excuse pour s'y attarder. L'école n'était pas ouverte assez longtemps à son goût. Il y avait les tristes fins de semaine à la maison qui la faisaient replonger dans des futilités qui, à ses yeux, démentaient, niaient même la vie telle qu'elle devait être, sombre et splendide. Et il y avait les interminables vacances d'été où la chaleur réduisait cette existence sans but à une vacuité encore plus grande. Elle attendait avec une frémissante impatience le 15 juillet, date de la réouverture de l'école et du début du nouveau trimestre. Elle se hâtait d'acheter les nouveaux manuels, dont l'aspect pimpant l'enchantait ; elle les recouvrait de papier brun pour les garder propres, et attendait fiévreusement le jour où ils seraient utilisés.

À vrai dire, il y avait une chose gênante qu'on ne pouvait nier, c'est que, malgré son ardent enthousiasme, elle était une élève déplorable. Pourquoi ? C'était tellement injuste. Les religieuses poussaient de petits gloussements désapprobateurs en secouant la tête, demandaient à voir maman, écrivaient à papa, et chaque année disaient d'un air désolé qu'il lui faudrait redoubler — elle avait réussi à rater tous les examens, anglais, hindi, histoire, géographie, arithmétique, dessin et même enseignement ménager ! Il suffisait qu'Uma s'attaque à quelque chose pour que cela tourne à la catastrophe. Elle avait beau s'escrimer à effacer ses fautes sur ses cahiers avec une gomme de plus en plus courte et noire, essayer désespérément de résoudre ses opérations, de se rappeler les dates, d'écrire «Constantinople», elle se trompait invariablement. Son bulletin scolaire était constellé de mauvaises notes inscrites à l'encre rouge. Les autres élèves, dont les bulletins très rassurants ne portaient que des notes vertes et bleues, témoignages de succès et d'encouragements, la regardaient avec pitié le jour où ils étaient distribués. Elle pleurait de honte et de frustration.

Maman pouvait donc lui dire : «Tu sais bien que tu as encore raté tes examens... Tu ne passes pas dans la classe supérieure. À quoi bon retourner à l'école? Reste à la maison pour t'occuper de ton petit frère.» Puis, voyant que les mains d'Uma tremblaient en essayant de plier les couches, elle parut s'apitoyer un peu. «Pourquoi retournerais-tu à l'école, Uma, puisque tu n'as que des mauvaises notes? la raisonna-t-elle. Tu seras plus heureuse à la maison. Tu n'auras plus à faire de devoirs, tu es une grande fille à présent. Nous essaierons d'arranger un mariage pour toi. Pas tout de suite, ajouta-t-elle en voyant une expression affolée sur le visage d'Uma. Mais bientôt. D'ici là, tu peux m'aider à prendre soin d'Arun. Et apprendre à tenir une maison.» Elle tendit la main pour prendre celle d'Uma. «J'ai besoin de ton aide, beti[1]», insista-t-elle d'une voix douce et caressante.
Uma libéra sa main d'un mouvement brusque.

---

1. Terme affectueux : «petite sœur».

3

« Uma, passe les fruits à ton père. »

Uma saisit des deux mains le plat de fruits et le pose avec fracas devant son père. Des bananes, des oranges, des pommes ; les voilà, c'est pour lui.

Les yeux plissés, il affecte de ne pas les voir. Les mains croisées sur la table, il regarde ailleurs, avec l'expression absente d'un aveugle.

Maman sait ce qui ne va pas. Elle tapote le coude d'Uma. « L'orange », lui dit-elle d'un ton péremptoire. Uma ne peut plus faire semblant de ne pas connaître les exigences, les manies de papa. Après tout, il y a quelque vingt ans qu'elle les sert tous les deux. Elle choisit l'orange la plus grosse sur le plat et la tend à maman, qui en découpe la peau en bandes, puis en sépare les quartiers, qu'elle pèle soigneusement et débarrasse de leurs pépins jusqu'à ce qu'il n'en reste plus que de parfaites gouttelettes de jus qu'elle dépose une à une sur le bord de l'assiette de papa. Une à une, il les saisit du bout des doigts et les porte à sa bouche. Tous restent en suspens tandis qu'il répète indéfiniment le même geste. Maman a les lèvres serrées tant elle met d'application à ce qu'elle fait, consciente de l'importance de cette opération. Quand elle a fini, et qu'il ne reste que les pelures, les pépins et les peaux blanches de l'orange sur son assiette, et plus rien sur celle de papa sauf une légère trace de jus, elle se tourne vers Uma. Ses yeux sombres brillent de fierté et de la joie d'avoir bien fait son travail.

«Où est le rince-doigts de papa?» claironne-t-elle.

On pose le rince-doigts devant papa. Il y trempe le bout des doigts, puis les essuie sur sa serviette. Il est le seul de la famille qui ait droit à une serviette et à un rince-doigts; ce sont les emblèmes de son statut.

Maman se carre sur sa chaise. La cérémonie est terminée, elle l'a célébrée, tout le monde est content.

*

C'était l'heure où le cuisinier fermait sa cuisine et se retirait dans son logement derrière les goyaviers pour s'allonger sur son sommier de corde et dormir jusqu'à l'heure du thé. Maman et le bébé étaient silencieux dans la chambre sombre, aux rideaux tirés. Les filles, laissées à elles-mêmes, le ventilateur tournant au-dessus de leurs têtes, étaient sur les lits recouverts seulement d'un drap, dans la chambre qu'elles partageaient avec une cousine âgée de maman, restée là pour aider. Cette cousine ne ressentait plus le besoin de dormir — elle estimait que c'était une faiblesse que s'accordaient les jeunes —, et elle avait persuadé Uma et Aruna de jouer aux cartes. Elles étaient assises, jambes croisées, et abattaient nonchalamment leurs cartes, poussant de temps à autre de petits cris dégoûtés ou triomphants et se penchant pour ramasser leurs levées.

Uma murmura : «Je vais boire un verre d'eau, je reviens tout de suite» et se glissa hors de la pièce. Aruna la regarda avec attention car elle avait remarqué qu'Uma avait l'esprit ailleurs en jouant aux cartes. Mais Uma, malgré l'inquiétude qui lui desséchait la gorge et faisait trembler ses mains, était prête pour l'après-midi qu'elle avait soigneusement planifié. Elle alla d'abord sans bruit dans un coin de l'office où, derrière une haute pile d'assiettes, elle avait caché son porte-monnaie contenant tout l'argent qu'elle possédait, un rouleau serré de pièces. Elle enfila silencieusement ses sandales, qu'elle avait laissées derrière la jarre d'eau, sur la véranda de la cuisine, enjamba la balustrade et fila comme une flèche à l'abri de l'ombre des goyaviers. Elle savait que l'on avait tiré les rideaux dans toutes les pièces de la maison pour se protéger du soleil de midi ; les nattes de roseau étaient déroulées devant toutes les vérandas et pendaient jusqu'en bas ; l'air était immobile et jaunâtre. Uma savait aussi que les domestiques et leur famille étaient profondément endormis dans leurs logements à l'arrière de la maison. On n'entendait qu'un koel qui, dans le tamarinier, lançait sans relâche ses appels, perçants, interrogateurs, mais sa voix était la voix de l'été, on ne la remarquait que lorsque l'oiseau était de retour, avec la lumière éblouissante et la léthargie de la saison ; il faisait partie de la toile de fond, un fil dans son tissu usé et fané.

Elle courut tête baissée, le long de la haie. Le mali logeait dans une cabane près du portail, mais il s'était entouré d'un mur si épais de plantes grimpantes, de buissons et de haies qu'il ne remarquait les allées et venues sur l'allée que si on le lui demandait expressément. Comme elle l'avait espéré, il était étendu sur son sommier de corde, à côté de son buisson d'hibiscus, à l'endroit où un robinet gouttait paisiblement dans une flaque de boue, ce qui le maintenait au frais. Il dormait la bouche ouverte et le rythme de sa respiration produisait des sons peu harmonieux. Uma était inhabituellement silencieuse cet après-midi-là, ses sandales effleuraient à peine le sol, et ne claquaient pas contre le gravier.

Elle passa prestement le portail et s'élança sur la route, serrant contre elle son porte-monnaie, une petite bourse en plastique jaune que lui avait achetée la vieille cousine. Elle courut le long du talus de terre et d'ordures qui séparait la route du fossé. Elle avait toujours eu un équilibre incertain — malgré son goût pour les sports pratiqués à l'école, où elle était lamentable —, et le talus était si inégal qu'elle chancelait et trébuchait d'une façon qui aurait alarmé un passant, mais à cette heure-là il ne passait personne ; il n'y avait d'ailleurs jamais beaucoup de circulation dans ce quartier. Elle courut jusqu'au carrefour où elle savait que des rickshaws attendaient les clients ; elle ne se trompait pas, il y en avait trois, rangés à l'ombre d'un raintree [1]. Les conducteurs, couchés en travers des banquettes, dormaient, les jambes pendant des deux côtés, mais Uma fit un tel tapage en criant : «Emmenez-moi à l'école Sainte-Marie, vite, à l'école Sainte-Marie» que l'un d'eux se réveilla, s'assit, rajusta son turban à carreaux rouges et blancs et fit une grimace qui indiquait qu'elle n'avait qu'à monter.

Il haletait et soufflait si fort en pédalant sur la route, sous le soleil de midi, qu'Uma eut peur qu'il ne s'effondre sous le coup d'une insolation. Elle ne pourrait donc pas aller à Sainte-Marie chez mère Agnès. Et elle ne pourrait pas...

Rrr, rrr, rrr, les poumons et les jambes du conducteur peinaient, la poussière de la route volait, leur brûlait le visage et les yeux. Ils arrivèrent enfin à Sainte-Marie hors d'haleine et couverts de poussière. Uma, une fois devant le portail —

---

1. *Pithecolobium saman.* Cet « arbre à pluie » serait ainsi nommé car il est censé abriter des insectes secrétant un liquide qui tombe en gouttelettes.

après avoir payé le conducteur qui avait réclamé en vociférant toujours plus d'argent jusqu'à ce qu'elle lui donne tout ce qu'elle possédait —, s'avisa que c'était l'heure où les religieuses se reposaient comme tout le monde et qu'elle ne pouvait déranger mère Agnès. Auparavant, elle n'aurait jamais osé.

Pourtant, cette fois, elle osa, elle n'avait pas le choix. Elle fila comme une flèche le long des couloirs dallés, passa devant les classes fermées pour l'été, monta l'escalier qui menait aux appartements privés des religieuses, où les élèves n'avaient jamais la permission d'aller. Sur les vérandas, toutes les portes étaient également fermées et, de plus, les rideaux, tous faits de la même cotonnade bleue, étaient tirés sur les vitres : comment pourrait-elle reconnaître la chambre de mère Agnès ? À la différence des portes vitrées des classes, celles-ci étaient vernies et les poignées de cuivre brillaient ; il y avait des pots de fougères à côté des portes et, devant chacune d'elles, un paillasson. Mais pas âme qui vive.

À ce moment, mère Agnès apparut au bout de la véranda, elle avançait à grands pas froufroutants. Uma ne savait pas pourquoi la sœur était sortie de sa chambre à cette heure-là. Ce n'était certainement pas pour la chercher, et pourtant elle en donnait l'impression. Son visage émergea de sa coiffe et elle s'écria : « Qu'y a-t-il, mon enfant ? »

Uma se précipita sur elle, la saisit par la taille, enfouit son visage dans ses jupes blanches et amidonnées en hurlant. Échevelée, le visage ruisselant de larmes, la bouche de travers, le nez morveux, elle n'était pas belle à voir lorsqu'elle pleurait. Elle blottit ses mains dans les jupes et la ceinture de la religieuse, criant : « Ma mère, ô ma mère », et quand mère Agnès tenta de se dégager et de la repousser, Uma se jeta aux pieds chaussés de sandales de la religieuse et s'affala par terre en gémisssant lamentablement.

« Uma ! » La religieuse la reconnut enfin, et sembla se résigner à avoir encore affaire à une élève qui avait raté son examen et venait la supplier de ne pas la faire redoubler. « Levez-vous, s'il vous plaît. Venez dans ma chambre. Vous savez, mon enfant, ce n'est pas ainsi que… » Elle se baissa, aida Uma à se relever, et lui prit le visage qu'elle pressa contre sa poitrine. Uma, surprise, respira une odeur de savon désinfectant, d'amidon, et une bouffée de quelque chose d'autre, une sorte de parfum, musqué, *religieux*, tandis que mère Agnès murmurait une prière (cela y ressemblait) dans ses cheveux.

Mais lorsque la religieuse apprit pourquoi Uma avait couru vers elle, et ce qu'Uma attendait d'elle, elle tapota le bord de son bureau de son coupe-papier en cuivre, baissa les paupières et son visage disparut presque entièrement sous sa coiffe. « Hum, hum, fit-elle en entendant les sanglots d'Uma. Oui, votre père m'a écrit, je sais. Il dit que puisque vous avez raté encore une fois l'examen… »

Uma se remit à gémir : elle avait oublié son échec. « Mais je travaillerai de toutes mes forces, cria-t-elle. La prochaine fois, *je réussirai*. Je vous en prie, mère, dites-le à mon père ! Je réussirai la prochaine fois ! »

Plus elle gémissait, plus mère Agnès paraissait hésitante. Lorsque Uma parla en bredouillant du bébé, disant qu'elle ne savait pas comment lui donner son bain, qu'elle avait peur de le piquer en lui mettant ses couches, la religieuse commença à s'impatienter. « Les filles doivent aussi apprendre ces choses-là, vous savez », dit-elle.

Uma était stupéfaite. Jamais elle ne se serait attendue que mère Agnès lui dise des choses pareilles. La religieuse évoqua alors la Vierge Marie et l'Enfant Jésus — mais, se dit Uma, mère Agnès ne peut sûrement pas comparer maman à la Vierge Marie. Elle ne pensait sûrement pas que l'Enfant Jésus avait hurlé dans la crèche, qu'il avait eu des cheveux qui lui poussaient sur le front et les oreilles et de la bave qui lui coulait de la bouche comme s'il était un chat malade ? Qu'il avait fallu changer ses couches et qu'elles avaient senti mauvais ? Interloquée, elle regardait fixement mère Agnès. Mais c'était bien ce que disait mère Agnès. La religieuse eut beau, en la congédiant, donner à Uma une image pieuse qu'elle avait sortie d'un tiroir de son bureau, une petite carte ourlée d'or avec un Enfant Jésus tout rose, assis sur les genoux drapés de bleu d'une Vierge Marie toute blanche, lui conseiller de prier la Vierge Marie pour être forte, de ne jamais oublier de prier, elle l'excluait non seulement de sa présence, de sa protection, mais même de son école.

Mère Agnès se leva et aida Uma à se mettre debout. Elle la soutenait par les épaules, s'efforçant de lui communiquer sa foi et sa force, lorsque Uma s'affaissa soudain, s'effondra et mère Agnès la vit avec stupeur allongée sur le tapis de coton, à côté du bureau. Elle ne s'était pas évanouie, mais, l'écume aux lèvres, se tordait, gémissait, se cognait la tête d'un côté, puis de l'autre. Lorsque mère Agnès essaya de la relever, Uma se débattit avec une telle violence que la religieuse dut sortir de sa chambre et appeler à l'aide.

Il y eut alors l'ignominie de son retour dans la fourgonnette des religieuses, en compagnie de sœur Teresa et de l'infirmière, puis les yeux écarquillés d'Aruna, maman vociférant comme une folle, s'en prenant à l'image rose, bleu et doré que mère Agnès lui avait donnée et qu'elle serrait encore dans sa main. À entendre les accusations de maman, cette image pieuse était une potion empoisonnée, une amulette maléfique qui avait ensorcelé sa fille. «Regardez ce que font les sœurs, dit-elle, furieuse, à papa. Quelles idées elles mettent dans la tête des filles! J'ai toujours dit qu'on ne devait pas les mettre dans une école religieuse, qu'il fallait les garder à la maison, mais qui m'a écoutée? Et voilà le résultat...»

Quand maman fut calmée, elle montra à Uma comment verser un peu d'huile au bout de ses doigts pour masser les bras et les jambes du bébé. Le massage le chatouilla, le fit gigoter, se tortiller sous les doigts d'Uma comme un poisson cherchant à s'échapper; Uma se contint un moment, puis ne put s'empêcher d'éclater de rire.

Maman s'éloigna avec un soupir de soulagement : pour elle, tout allait pour le mieux à présent, on pouvait confier le bébé à sa grande sœur.

«Mais l'ayah peut faire ci, l'ayah peut faire ça...» Uma essaya de protester quand les ordres se mirent à pleuvoir. Maman prit de nouveau un air sévère. «Tu sais bien que nous ne pouvons pas laisser le bébé à une domestique, dit-elle d'un ton sans réplique. Il a besoin de soins adéquats.» Uma eut beau faire remarquer que l'ayah s'était occupée d'elle et d'Aruna quand elles étaient bébés, il était clair, d'après l'expression de maman, que c'était tout différent maintenant. «Des soins adéquats», répéta-t-elle d'un ton menaçant.

Des soins adéquats. Ce fut avec une détermination inflexible que maman les prodigua à son fils, comme pour s'assurer que personne ne pourrait l'accuser de la moindre défaillance maternelle ou rappeler qu'elle avait porté cet enfant à contrecœur. Même lorsqu'elle confiait à Uma ou à l'ayah le soin de le laver ou de l'habiller, elle assistait, l'œil vigilant, à ces opérations. Elle veillait comme un dragon sur les repas du bébé, décidée à ce qu'il ingurgite, qu'il le voulût ou non, une certaine quantité de lait, ou, plus tard, l'œuf à la coque ou le bouillon de viande prescrits. Quand papa rentrait du bureau, il exigeait de savoir ce qu'avait mangé son fils : il lui fallait une réponse précise et qui le satisfasse.

La naissance d'Arun ne signifia pas que l'entité maman-papa fut divisée en deux — maman et papa —, loin de là. Arun fut apparemment la colle qui les unit encore plus étroitement l'un à l'autre. Si maman réussissait à garder un peu de vie personnelle, bien à elle (ses parties de rami, ses feuilles de bétel mâchées en cachette, ses conversations « féminines » avec ses filles quand l'occasion se présentait), elle et papa n'étaient plus qu'une seule et même personne lorsqu'il s'agissait d'Arun. Papa posait des questions sur les soins apportés à son fils et sur sa croissance, et maman y répondait, lui rendant scrupuleusement compte de ses tâches et de ses responsabilités, de même que l'on compte les draps que rapporte le blanchisseur.

À présent, plus que jamais, elle était la compagne, l'épouse de papa. Non seulement il avait fait d'elle sa femme, mais aussi la mère de son fils. Quel honneur, quelle dignité... Maman relevait un peu le menton, jetait un coup d'œil circulaire pour s'assurer que tous en étaient témoins ; on aurait dit qu'elle avait reçu une décoration.

Leur vie n'en fut pas changée pour autant, mises à part leurs communes préoccupations au sujet de leur fils. Non, leur vie mondaine n'en fut pas affectée le moins du monde ; maman continua à se parer de saris de soie et de bijoux, à accompagner papa au club, à des dîners, à des mariages. Après tout, Uma, Aruna et l'ayah pouvaient la remplacer auprès du berceau d'Arun. Celles-ci avaient l'impression que maman, en quittant majestueusement la maison, avait à présent l'expression de quelqu'un qui a réussi. Elle avait pour ainsi dire rattrapé papa sur ce plan, et ils étaient désormais plus à égalité que jamais.

Est-ce de l'amour ? se demandait Uma, écœurée ; est-ce un attachement romanesque ? Elle soupirait, sachant que maman n'avait aucune idée de ces sentiments, elle qui ne lisait pas et n'allait jamais au cinéma. Quand ses amies ou ses voisines jasaient à propos d'un « mariage d'amour » dont elles avaient entendu parler, maman relevait légèrement sa lèvre supérieure pour montrer son mépris. Un mariage d'amour, vraiment, très peu pour elle...

Uma avait remarqué aussi que maman et papa avaient la même expression en regardant Arun : une sorte de fierté indiscutable, mais teintée de nervosité, d'interrogations, d'un léger doute. C'était leur fils, ils pouvaient évidemment en être fiers. Mais était-ce si évident ? Car devant cette frêle créature, qui mit une éternité à lever la tête, à marcher à quatre pattes ou à se tenir debout, leurs yeux se voilaient d'une secrète inquiétude et même d'un certain affolement — vite maîtrisé, vite repoussé.

Les repas d'Arun devinrent de plus en plus pour maman un sujet d'angoisse et de nervosité : ils l'épuisaient toujours et elle devait en plus affronter les questions de papa (cela s'était-il ou non bien passé ?). Cette nervosité, cette tension semblaient gagner Arun. Dès qu'apparaissait l'œuf mollet dans une tasse ou le bol de bouillon, il serrait les dents, détournait la tête, faisait semblant d'être absorbé par un jeu dont personne ne pouvait le distraire. À tour de rôle, elles essayaient, maman, Uma et l'ayah, de lui enfourner des bouchées de nourriture quand il ne regardait pas. Elles réussissaient parfois à le surprendre et il avalait sans s'en rendre compte, mais la plupart du temps il détournait la tête juste au bon moment, ou bien recrachait ce qu'on lui avait mis de force dans la bouche. À la fin du repas, maman était souvent en larmes et Uma exaspérée, tandis que papa disait : «Vous avez vu le fils Joshi? Il joue déjà au cricket!»

Il leur fallut des années pour comprendre les goûts d'Arun et accepter le fait qu'il avait horreur de la viande que papa voulait absolument lui faire avaler. Arun était un végétarien.

Papa en fut consterné. Manger de la viande avait été un changement révolutionnaire qu'avaient causé dans sa vie et celle de son frère les études qu'ils avaient faites. Élevés dans un milieu traditionnellement végétarien, ils avaient découvert les mérites de la viande en même temps que ceux du cricket et de la langue anglaise. Les trois étaient étroitement associés dans leur tête. Chacun avait même réussi à convertir son épouse à cette nouvelle conception du progrès et l'avait transmise à leurs enfants. Papa avait toujours le plus grand mépris pour ceux de ses parents venus en visite qui tenaient absolument à leur régime de céréales et de légumes, refusant les plats de viande alors que papa insistait pour qu'on les préparât pour le dîner.

Et voilà que son propre fils, son fils unique, manifestait le désir totalement déconcertant de revenir aux habitudes de ses humbles et chétifs ancêtres qui, eux, n'avaient pas réussi dans la vie. Papa en était profondément contrarié. Il prescrivit de l'huile de foie de morue, que maman et Uma furent chargées de faire avaler à Arun. Enfin, plus ou moins. Uma, pinçant le nez de son frère, voulut un jour introduire de force la cuiller entre les dents d'Arun, qui ouvrit la bouche mais la referma brusquement, mordant cruellement les doigts de sa sœur. Uma les retira en poussant un cri et, à la vue du sang qui coulait, elle gémit d'une voix tremblante : «Vous avez vu? Vous avez vu *ce qu'il a fait*?»

« Tu te souviens du jour où tu m'as mordue ? » lui rappela Uma, agitant devant lui un quartier de goyave encore verte.

Ils se cachaient tous les deux dans un bosquet de bougainvillées ; elle avait cueilli une goyave qui n'était pas encore mûre, l'avait coupée en quatre, puis en huit parts qu'elle avait saupoudrées de sel. Un vrai régal.

Mais un régal formellement interdit. Comme Arun avait déjà attrapé une quantité incroyable de maladies, les oreillons, la rougeole, la varicelle, des bronchites, des accès de paludisme, des grippes, de l'asthme, des saignements de nez, c'était la dernière chose qu'on aurait dû lui donner pour le régaler. Le fruit était si acide qu'il faisait grincer les dents et irritait le gosier. Pourtant Uma, avec une coupable étourderie, fourrait des tranches de goyave dans la bouche de son frère et dans la sienne. Ils fermaient les yeux, grimaçaient, frissonnaient, tant l'âpreté et l'acidité de la goyave leur râpaient l'arrière-gorge. Ils clignaient des paupières, les larmes salées qui coulaient leur picotaient les yeux. Quand ils les rouvrirent, ils éclatèrent de rire.

« Regarde mon doigt, tu vois où tu m'as mordue ? » Uma l'agitait sous le nez d'Arun ; elle ne voulait pas qu'il oublie, car elle, elle n'avait pas oublié.

Arun la regarda du coin de l'œil ; Uma, mal à l'aise, se trémoussa. Elle aurait pu s'attendre à ce qu'il n'apprécie pas la plaisanterie.

« Est-ce que je vais raconter à mamanpapa ce que tu m'as donné à manger ? repartit Arun avec perfidie. Qu'est-ce qu'ils diront quand ils le sauront ? »

Uma se leva si rapidement que ses cheveux se prirent dans les épines des bougainvillées et restèrent accrochés au-dessus de sa tête, si bien qu'elle avait l'air d'être suspendue à la branche. Arun hurla de rire.

4

Maman et papa sont invités à un mariage ; Uma a refusé de les accompagner : maintenant que papa est à la retraite, il est si rare qu'ils quittent la maison qu'Uma en est venue à apprécier de plus en plus ces occasions. Elle a eu son dîner sur un plateau, puis a passé en revue sa collection de cartes postales et de bracelets. Entendant quelqu'un bouger dans la pièce voisine, elle les a vite dissimulés. Mais ce n'est que l'ayah qui rapporte du linge livré par le blanchisseur et qu'elle est venue ranger. Elle entre, les bras chargés des jupons d'Uma. Celle-ci prend sa brosse et commence à se brosser les cheveux pour montrer à l'ayah qu'elle s'apprête à se coucher.

« Allons, Baby, laisse-moi faire », propose l'ayah.

Uma est contrariée et commence par refuser — elle n'apprécie pas beaucoup la présence de l'ayah alors qu'elle se croyait seule dans la maison — mais quand celle-ci lui prend la brosse des mains, elle se laisse faire. Ainsi assise, entre les mains de l'ayah qui lui frappe la tête d'un mouvement régulier, il lui semble qu'elle a de nouveau six ans.

L'ayah est arrivée chez eux lorsque Uma avait trois ans et qu'Aruna venait de naître. Elle s'était retirée dans son village, mais en est revenue pour aider maman, si désemparée par cette naissance, à s'occuper d'Arun, et elle est restée, bien qu'Arun soit devenu plus grand qu'elle et ne soit plus à la maison. Maman a pris l'habitude de l'avoir auprès d'elle et aime bien lui confier de petites choses à faire — des «travaux délicats», comme elle dit —, quoique papa estime qu'ils pourraient être confiés à Uma, et que ce serait autant d'économisé. L'ayah sait qu'elle a intérêt à montrer à papa qu'elle mérite son salaire; quand elle voit qu'on la regarde, elle trouve aussitôt quelque chose à faire. Maman, elle aussi, doit jouer le jeu et n'est jamais à court d'idées. «Va donc voir si notre linge est prêt chez le blanchisseur», dira-t-elle; ou encore : «Dis au cuisinier de préparer quelques mangues pour le thé.» Quand elle ne trouve absolument rien d'autre, elle s'allonge avec un léger soupir; l'ayah s'approche alors, elle sait que cela signifie que maman veut qu'elle lui masse les pieds; elle s'accroupit et commence à malaxer, à pétrir ces pieds que maman ne lui a pas exactement tendus — en fait, maman pousse un petit grognement légèrement désapprobateur mais trop faible pour être pris au sérieux.

Uma, elle, n'aime pas beaucoup que l'on prenne ainsi physiquement soin d'elle. Elle se détourne, sa tête commence à lui faire mal. «Où est Lakshmi?» demande-t-elle. La fille de l'ayah est une source permanente de drames.

«Oh, Baby, ne me parle pas de Lakshmi» soupire l'ayah. Et sa main qui maniait la brosse s'immobilise brusquement. «La malheureuse, elle me fera bientôt mourir. Des problèmes, des problèmes, qu'est-ce qu'on peut attendre d'autre de Lakshmi? Le jour de sa naissance est un jour maudit.

— Pourquoi? Qu'est-ce qui est arrivé maintenant? murmure Uma, qui se résigne à contrecœur à écouter encore une nouvelle histoire.

— Oh, Baby, tu veux le savoir? Elle a quitté ce mari que

j'ai réussi à lui trouver et elle s'est sauvée. Pour se trouver du travail, qu'elle dit. Quel travail peut-elle bien trouver ? je te le demande. Elle qui ne lèverait pas le petit doigt pour travailler. Mais elle s'imagine qu'elle va pouvoir se faire engager dans une famille où on la nourrira et on l'habillera. Comme si elle pouvait s'attendre à devenir la fille de la maison, soupire tristement l'ayah. Je lui ai dit que c'est des râclées qu'elle recevra…

— Pourquoi dis-tu ça ? Elle peut tomber sur une famille gentille.

— Quelle famille gentille l'engagerait, elle ? réplique vivement l'ayah. Il suffit de la regarder pour savoir à quoi elle est bonne ! L'autre jour, je lui ai demandé : "D'où est-ce que tu tiens ce bracelet que tu me fais tinter aux oreilles, hein ? Dis-moi seulement d'où il vient !" Je l'ai battue tant et plus, jusqu'à ce que du sang coule de son nez, mais crois-tu qu'elle me l'a dit ? Ce n'est pas son genre, malédiction de ma vie…

— Pourquoi la bats-tu ? » Uma arrache la brosse des mains de l'ayah. « Tu la maltraites toujours, cette pauvre fille.

— Tu crois qu'elle est à plaindre ? C'est plutôt moi, sa mère, qui ai souffert, qui ai dépensé tant d'argent pour son mariage, qui me suis privée de nourriture et de vêtements pour l'élever…

— Non, ce n'est pas vrai. Tu es nourrie dans notre cuisine, et maman te donne des vêtements. Tu es très bien habillée. »

L'ayah la regarde d'un air scandalisé ; elle montre son sari fané et déchiré. « Tu appelles ça des vêtements ? Moi, je dis que c'est une honte, que ce n'est pas convenable d'être habillée avec ces haillons. Mais qu'est-ce que je peux faire ? Il faut bien que j'accepte ce qu'on me donne. Nous ne sommes pas tous nés sous une bonne étoile… » Elle se frappe le front de la paume de sa main et gémit.

Uma se lève, elle est contrariée de s'être de nouveau laissé piéger par l'ayah. Elle va d'un pas décidé vers son armoire, l'ouvre brusquement. «Très bien, prends mes saris. Demande, demande, jusqu'à ce que tu aies tout ce que je possède. Tu seras contente, alors!» Uma tire de l'armoire quelques saris de coton qu'elle lance à la tête de l'ayah dans un mouvement de colère — qu'elle tient de maman. Après une courte réflexion, elle en reprend vivement un, qui est presque neuf et qu'elle aime particulièrement, d'un joli jaune, à bordure violette, et elle le fourre au fond du rayon, hors de la vue de l'ayah.

L'ayah est tout sourires et contentement. Elle ramasse les saris, les serre contre elle et disparaît de la pièce avant que la chance ne tourne. Uma ferme la porte de l'armoire en la claquant et la verrouille rageusement : sa soirée est gâchée.

*

Au cours des ans, à intervalles réguliers, arrivait une carte postale jaune de Mira-masi [1], annonçant qu'elle s'arrêterait chez eux entre deux pèlerinages. Uma s'écriait invariablement : «Mira-masi? Oh, j'aime beaucoup Mira-masi, c'est elle qui fait les meilleurs *ladous* [2], mmm…, ils sont si gros, si ronds, si sucrés!» Ce qui exaspérait toujours maman car on dénigrait ainsi les *ladous* préparés dans sa propre cuisine. «Quelle enfant vorace tu es, Uma! Je ne laisserai pas Mira-masi entrer dans la cuisine. Elle met tout sens dessus dessous, elle réclame des casseroles neuves comme si les nôtres étaient impures et elle ne veut pas manger ce que prépare le cuisi-

1. «Tante Mira».
2. Pâtisserie.

nier. Elle est tellement vieux-jeu…» Maman semblait vraiment très contrariée.

Mira-masi n'était pas sa sœur, mais une parente très éloignée, la deuxième, et peut-être même la troisième épouse d'un cousin dont maman préférait ne pas parler. Heureusement, celui-ci s'était contenté de mener une vie très discrète jusqu'au moment où finalement, à la convenance de tous, il était mort. Mais son épouse, depuis son veuvage, avait pris l'étrange habitude de parcourir toute seule le pays entier, protégée par ses vêtements blancs de veuve, se rendant d'un lieu de pèlerinage à un autre en touriste obsédée de spiritualité, et il arrivait trop souvent que ses malheureux parents par alliance se trouvent sur sa route, en des lieux où Mira-masi trouvait commode de faire halte. «Elle n'écrit jamais pour demander si elle peut venir, fulminait maman, mais uniquement pour nous annoncer qu'elle arrive.» Comme maman était d'habitude enchantée d'avoir des visites, surtout de parentes avec qui elle pouvait échanger des potins sur toutes les branches de sa famille — ce qui la maintenait en contact avec elles, si bien qu'elle ne se désolait pas trop de vivre au loin, exilée par papa et sa carrière —, Uma s'étonnait que sa mère fasse une exception pour Mira-masi.

Elle aurait pensé que celle-ci serait plus que bienvenue puisqu'elle était constamment en visite chez des parents, même les plus éloignés, et qu'elle apportait des nouvelles de tout le monde : les naissances, les mariages, les décès, les maladies, les scandales, les procès, les potins, les rumeurs, les cancans, les commérages… Si seulement Mira-masi ne venait qu'avec cela, semblaient suggérer les lamentations de maman… Malheureusement, ces bavardages n'étaient qu'un aspect de la vie de Mira-masi, l'aspect familial, mais il y en avait d'autres, nettement marginaux.

Dès son veuvage, elle s'était consacrée à la religion. Ses journées se déroulaient selon un rite immuable depuis le moment où elle se réveillait pour saluer le soleil en prenant un bain rituel et en récitant les prières du matin, jusqu'à la préparation d'un repas végétarien, le seul de la journée puisqu'elle était veuve — Arun le trouvait si appétissant qu'il l'engouffrait avec une voracité que maman prenait pour un affront. Puis il y avait les cérémonies du soir dans les temples. Ce n'est qu'à la nuit, lorsqu'elle avait étendu sur le sol sa natte de roseau, qu'elle s'asseyait dessus, jambes croisées, pour raconter à maman tous les événements familiaux — maman avait beau être avide de potins, elle était irritée à l'idée que Mira-masi se considérait comme de la famille, alors qu'elle n'était que la deuxième, ou peut-être la troisième épouse d'un des cousins les moins sortables, de sorte que, tout en écoutant, son visage se contractait sous le coup d'émotions contradictoires, spectacle qui valait la peine d'être vu. Enfin, quand maman était appelée par un papa de plus en plus furieux car il ne tolérait pas que sa femme détourne son attention de sa personne — de plus, les voix des deux femmes l'empêchaient de dormir —, venait alors le tour d'Uma. Elle se pelotonnait confortablement contre Mira-masi, une main sur un de ses genoux qu'agitait un mouvement continuel, et elle écoutait les récits de la mythologie hindoue que sa tante rendait aussi vivants et présents que les derniers potins familiaux. Pour Mira-masi, les dieux et les déesses dont elle contait les aventures faisaient partie de sa famille, quoi que maman pût en penser — Uma le voyait bien.

Elle ne se lassait jamais d'entendre raconter les jeux et les tours que jouait le Seigneur Krishna lorsqu'il était enfant ou qu'il gardait les vaches sur les rives de la Jumna. Il y avait l'histoire de Mira, la sainte poétesse qu'on avait mariée à un rajah et qu'elle refusa de considérer comme son époux car elle se croyait mariée au Seigneur Krishna. Elle errait à travers le pays en chantant des hymnes à sa louange et passant pour une démente, jusqu'au jour où le rajah lui-même reconnut sa piété et devint son disciple. Son histoire préférée était celle du rajah Harishchandra, qui avait renoncé à son royaume, à ses richesses, et même à son épouse, pour prouver sa ferveur envers le dieu Indra, et qui avait été réduit, pour vivre, à entretenir les bûchers funéraires. On lui apporta un jour, pour qu'il l'incinère, le cadavre de sa propre épouse, mais Indra, pris enfin de pitié, la ressuscita. Uma, frémissant d'émotion, sentait alors qu'elle avait devant elle un être capable de passer au travers du monde extérieur, si morne, pour pénétrer dans un monde intérieur dont les couleurs et le romanesque la fascinaient. Si seulement ce monde pouvait remplacer l'autre, se disait-elle avec passion.

C'était son désir ardent de réaliser ce miracle qui lui faisait suivre le cycle quotidien des rites accomplis par Mira-masi, s'accroupissant même à côté d'elle devant le foyer d'argile et de briques construit en plein air spécialement pour sa tante. Celle-ci pouvait ainsi préparer ses repas à bonne distance du cuisinier, qui ricanait dans sa cuisine en faisant frire des oignons et de l'ail, en remuant les caris de mouton et en grillant les kébabs. Mira-masi suffoquait, se couvrait la bouche et le nez avec le pan de son sari. Uma ne devait toucher à rien. «T'es-tu lavée quand tu es rentrée de l'école? Et après être allée aux toilettes? *Non?* As-tu tes règles en ce moment? Ne touche à rien, petite, à rien!» Uma s'écartait seulement un tout petit peu, les bras noués autour de ses genoux, et regardait Mira-masi hacher ses légumes, sa seule nourriture. Elle avait parfois le droit de lui apporter de la farine, du lait et du sucre pour qu'elle confectionne des gâteaux pour la famille, ces fameux *ladous*.

Mira-masi l'emmenait avec elle lorsqu'elle se rendait le soir au temple pour la *puja*[1]. Elles partaient ensemble sur la route et s'engageaient dans la ruelle au bout de laquelle se trouvait un temple de stuc rose, illuminé de tubes fluorescents bleus, où pendaient des images de Shiva, la divinité révérée par Mira-masi. Uma était alors pétrifiée de timidité et restait à la porte, préférant observer sa tante qui entrait d'un pas décidé, faisait résonner la cloche d'un coup vigoureux et allait jusqu'au sanctuaire où elle se mêlait à la foule des fidèles. Tous tendaient leurs paumes pour recueillir quelques gouttes de l'eau bénite dont les aspergeait le prêtre portant un plateau couvert de poudre rouge et d'œillets d'Inde. Toutes les cloches sonnaient, ding-dong, les conques retentissaient, vroum-vroum. Puis le prêtre faisait tourner un plateau chargé de lampes à huile au-dessus de la tête de la divinité en récitant d'une voix quelque peu nasillarde des versets sanskrits ; il s'avançait enfin vers les fidèles pour leur distribuer des sucreries. Uma se cachait alors vite derrière un pilier. Mira-masi suivait tout ce rituel avec un air aussi détaché que si elle faisait son ménage. On n'aurait jamais pensé que c'était l'activité centrale de sa vie. Mais Uma ne pouvait se comporter avec le même détachement, ces rites assaillaient tout son être et la faisaient trembler comme l'oriflamme qui flottait au-dessus du portail du temple.

Elle préférait participer au culte privé que célébrait Mira-masi lorsqu'elle venait séjourner chez eux. On faisait un autel en disposant, sur une étagère ou une table basse, ou même sur quelques briques assemblées, les objets qui l'accompa-

1. Culte d'adoration d'une divinité.

gnaient dans ses pérégrinations : un petit Shiva en cuivre (doré, selon elle), une lampe à huile, une image pieuse et un exemplaire du *Ramayana* enveloppé d'une cotonnade rouge. Dès qu'Uma se réveillait, elle allait dans le jardin — la rosée qui s'était déposée sur l'herbe poussiéreuse venait se coller à ses pieds nus et au bas de sa chemise de nuit — arracher de leurs tiges quelques roses et œillets d'Inde, ou ramasser une poignée de pétales éparpillés sous le buisson du jasmin blanc qui avait fleuri pendant la nuit, tout en faisant la sourde oreille aux protestations indignées du jardinier. Elle courait jusqu'à la chambre de Mira-masi et déposait les fleurs sur l'autel, reconnaissante et surprise qu'on la laisse remplir de ses mains impures une fonction aussi importante. Mira-masi s'asseyait devant son autel improvisé et, les yeux clos, elle répétait indéfiniment les noms du Seigneur avec une ferveur qui la faisait se balancer comme si elle était en transe. Dans ces moments-là, une expression si fervente était gravée sur son visage, comme sur une statue de pierre, qu'Uma en était saisie. Lorsque sa tante rouvrait les yeux, ils étincelaient d'une passion presque sauvage. Puis elle se mettait à chanter d'une voix sonore :

> *J'ai parcouru le monde,*
> *J'ai sondé la terre entière,*
> *Maintenant, aux pieds de lotus du Seigneur,*
> *J'ai trouvé mon salut.*

et Uma sentait qu'elle était admise dans un sanctuaire qui lui avait été fermé jusque-là. Les sœurs, à Sainte-Marie, l'avaient laissée s'approcher du seuil (la salle de réunion, le chant des cantiques), mais elle n'avait jamais été admise dans leur chapelle, où elle aurait tant désiré entrer, pressentant que là était le cœur de leur culte. À présent, Mira-masi l'admettait dans le sien, elle y avait un rôle, elle participait — mais à quoi? elle n'aurait su le dire.

Le meilleur moment du séjour de Mira-masi était l'expédition indispensable jusqu'au fleuve, interdite habituellement aux enfants par papa et maman, qui disaient qu'il y faisait trop chaud, que c'était trop dangereux, trop poussiéreux, qu'on y attrapait des maladies, qu'il y avait trop de monde, enfin que c'était déconseillé à tous points de vue. Mais ils ne pouvaient refuser à Mira-masi de se rendre en ce lieu qui était pour elle un avant-goût du paradis et, un jour, lorsqu'elle alla prendre son bain rituel, ils l'autorisèrent, à contrecœur, à emmener les enfants — qu'ils prirent à part pour leur recommander de ne pas s'approcher de l'eau, ni de la rive, de ne pas se noyer et de prendre garde aux crocodiles.

Ces avertissements se révélèrent inutiles pour Arun et Aruna, qui ne bougèrent jamais du haut des marches de pierre descendant jusqu'au fleuve; ils se contentèrent d'observer avec dédain son cours indolent, la foule des blanchisseurs, des pèlerins, des bateliers. Ni l'un ni l'autre n'aurait songé à tremper un pied dans l'eau, ni même un orteil : ils étaient trop soucieux de leur santé et de leur sécurité.

Seule Uma retroussa sa robe dans sa culotte et avança dans l'eau en pataugeant avec une telle insouciance irréfléchie que les pèlerins, les blanchisseurs, les prêtres et les bateliers crièrent tous : «Prends garde, petite, fais attention!» Ils la tirèrent hors de l'eau avant qu'elle n'en ait jusqu'au menton et soit emportée par le courant. Il ne lui était pas venu à l'idée qu'elle aurait dû savoir nager, elle était certaine que le fleuve la maintiendrait à flot.

Mira-masi avait été trop absorbée par ses dévotions pour

voir ce qui se passait. Entrée jusqu'aux genoux dans le fleuve, elle s'aspergeait d'eau en chantant d'une voix triomphante les louanges du Seigneur, sans se rendre compte qu'un batelier, tout près d'elle, avait attrapé Uma par les cheveux et l'avait tirée, saine et sauve, jusque sur la rive sablonneuse où elle gisait, suffoquant, à bout de forces et ruisselant comme un poisson hors de l'eau. Les préoccupations de Mira-masi étaient trop exaltantes pour qu'elle fût vigilante, mais Arun et Aruna, dès le retour à la maison, s'empressèrent de raconter à leurs parents la conduite ridicule et saugrenue d'Uma, ce qui lui valut, ainsi qu'à Mira-masi, une sévère réprimande.

On se persuada peu à peu dans la famille qu'Uma et Mira-masi avaient partie liée pour faire des sottises.

# 5

Un cyclopousse s'engage dans l'allée ; il s'annonce en faisant tinter son timbre fêlé, d… ring, d… ring. La famille, sur la véranda, lâche son journal, son ouvrage, les éventails, les chasse-mouches, et ouvre de grands yeux : on n'attend personne. Le cyclopousse s'arrête devant le perron et une silhouette échevelée en saute maladroitement, jette un sac de voyage sur les marches avant de payer le conducteur qui attend à califourchon sur sa machine en s'épongeant le cou avec son turban.

Soupçonneux, incrédules, maman et papa écarquillent leurs petits yeux. Curieuse, Uma se penche sur la balustrade et s'écrie soudain : « Oh, Ramu-bhai[1] ! C'est Ramu-bhai ! » Elle descend les marches en courant si vite que ses sandales claquent sur ses talons, clac, clac, clac.

Ramu se retourne et lui sourit. Ses sourcils et ses cheveux sont blancs de poussière, ses vêtements kaki, noirs de suie. Il empoigne son sac, le balance gaiement et demande d'un ton facétieux : « Il y a de la place pour moi à l'auberge ? Vous pouvez me loger ?

1. « Frère Ramu ».

— Viens, viens, crie Uma. Monte ! Maman, papa, regardez qui est là !»

Maman et papa regardent, en pinçant les lèvres, d'un air si désapprobateur qu'il est clair qu'ils ne partagent pas le ravissement d'Uma à la vue de la brebis galeuse de la famille, assez mal élevée pour arriver à l'improviste. Tous les deux serrent leurs pieds comme pour éviter une rigole qui coulerait trop près d'eux.

Mais Ramu leur adresse un large sourire, comme s'il ne déchiffrait pas le sens de cet accueil glacial ; ou bien est-il habitué à eux et n'en attend-il rien d'autre ? Il a un pied bot et porte une chaussure orthopédique ; il avance vers eux, sur la véranda, à pas pesants. Il progresse lentement car son sac pèse lourd à son bras. Uma se précipite pour le soulager de ce poids.

«Non, non, dit-il en écartant d'une petite tape sa main tendue. Les dames ne doivent pas porter les sacs des messieurs.»

Uma glousse de plaisir : les dames, les messieurs ! «Je t'apporte du thé ? demande-t-elle avec empressement.

— Nous venons de finir notre thé, dit maman, desserrant les lèvres avec peine. Il faut aller en commander.

— J'y vais», propose joyeusement Uma. Elle saisit la théière par son anse en la balançant, et manque de casser le bec contre la balancelle.

«Fais donc *attention*, Uma», lance sèchement maman.

Après son départ, le silence se fait car les parents ont apparemment décidé de s'armer de mutisme contre un hôte indésirable, un neveu manquant d'égards. Respectant ce silence, Ramu s'assied sur une chaise en rotin qui grince sous son poids ; il étend les jambes, renverse la tête en arrière. Un mainate, perché sur le margousier surplombant la terrasse, observe ses mouvements et émet une série de petits sifflements comme s'il les commentait. Ramu lui répond en sifflant à son tour.

«Trente-six heures de train, en troisième classe, leur dit-il. J'ai l'impression de n'être plus que de la suie.» Il se tape sur les cuisses et les épaules pour illustrer ce propos. Puis il frappe le sol de sa chaussure orthopédique, faisant voler encore un peu plus de poussière. Le mainate s'envole avec un cri apeuré.

Maman paraît vouloir en faire autant. Ses lèvres se sont tant rétrécies qu'elles ont presque disparu dans son menton. «Et d'où viens-tu? demande-t-elle. De Bombay?

— Oh non! J'ai été un peu partout. Je suis allé à Trivandrum avec un ami. C'est là qu'habite son gourou, on célébrait son anniversaire dans l'ashram, mais la nourriture était si *infecte* que j'ai quitté mon ami, et je suis parti tout seul pour Cochin. C'était beaucoup mieux là-bas; il y a le port, les marins qui descendent de leur bateau, tout le monde s'amuse drôlement bien. J'ai pris ensuite le bateau pour Goa, où je suis tombé sur...»

Maman l'interrompt: «Tu as besoin de te laver.

— Ça oui, j'ai besoin d'un bon bain chaud. Mais pas tout de suite. D'abord, du thé, s'il vous plaît, du thé!»

Uma revient précipitamment en chantonnant, avec une théière que l'on a de nouveau remplie. «J'ai dit au cuisinier de faire chauffer de l'eau pour ton bain, crie-t-elle, et il va faire des *pouris*[1] pour le petit déjeuner.

— Des *pouris* pour le petit déjeuner! s'exclame papa, qu'on entend pour la première fois. Des *pouris*, tu as dit des *pouris*?» Les mots explosent dans sa bouche tant il est agité

1. Sorte de beignets.

et horrifié : les *pouris* sont réservés aux grandes occasions. Uma doit avoir perdu la tête si elle pense que ç'en est une aujourd'hui.

Uma regarde papa, puis maman. « Il y a si longtemps que nous n'en avons pas eu, dit-elle d'un air contrit. Et que nous n'avons pas eu la visite de Ramu... »

Celui-ci lui sourit tandis qu'elle lui verse du thé. « Oui, mais je vais rester très longtemps pour rattraper le temps perdu », assure-t-il, et, au coup d'œil qu'il lance à ses oncle et tante, il est difficile de ne pas le soupçonner d'une certaine malice.

Ils sont évidemment persuadés que c'est par pure malice qu'il utilise toute l'eau chaude pour son bain, qu'il demande si, en plus des *pouris*, il y aura des côtelettes et des croquettes pour le petit déjeuner, et qu'il insiste pour leur raconter des histoires scabreuses, que ni maman ni papa ne sont disposés à écouter, sur le compte de respectables oncles et tantes. Il s'endort enfin sur le divan du salon, où il restera toute la matinée du lendemain sans une pensée pour les visiteurs qui pourraient survenir — même si ce n'est pas le cas. À la fin de l'après-midi, au lieu de s'asseoir sur la véranda pour jouer aux cartes en famille, il fait preuve d'une agitation presque incoercible ; l'air tendu, il marche de long en large d'un pas pesant avec ses lourdes chaussures, nouant et dénouant ses mains dans le dos, ou passant ses doigts dans ses cheveux prématurément gris, qui se dressent alors tout raides sur sa tête.

Uma, elle-même, se sent mal à l'aise. Pendant toute son enfance, elle a entendu chuchoter des commérages sur le fils d'oncle Bakul : les uns disaient que c'était l'alcool, d'autres, les drogues. Il est clair que c'est ce qui préoccupe les parents ; maintenant ils n'ouvrent plus la bouche. Ramu a éludé leurs questions sur oncle Bakul, tante Lila et la cousine Anamika, ou bien il y a répondu brièvement et avec indifférence.

« Mon père travaille toute la journée, ma mère va à des déjeuners et joue aux cartes. Et Anamika... » En pensant à sa sœur, belle, bonne et bien-aimée, il a un sourire un peu triste. « Elle a tout pour elle », conclut-il abruptement.

Uma rompt le silence qui s'est fait. « Ramu-bhai, on pourrait faire une visite à nos voisins ? » propose-t-elle, se disant qu'on y offrirait peut-être un petit whisky à l'eau à son cousin. Elle sait qu'oncle Joshi a un faible pour un verre, le soir, surtout s'il y a des visites.

« Non. Mais, écoute, Uma. On va sortir tous les deux. Allons, viens. Oui, oui, il faut que tu viennes. » La suggestion d'Uma semble avoir sur lui l'effet d'une allumette sur de l'amadou ; il bout d'impatience de s'en aller. « Je t'emmène dîner », offre-t-il, grand seigneur, lui présentant le bras d'un geste engageant.

Papa et maman en restent bouche bée. « Dîner ? » demande Uma d'une petite voix aiguë. Elle n'en croit pas ses oreilles.

« Mais oui. Il n'y a pas moyen de dîner quelque part dans cette ville ? Il doit bien y avoir un restaurant...

— Il y a le Kwality ! » s'écrie soudain Uma. Ses parents tournent à présent leur regard vers elle avec la même expression abasourdie : à quoi pense-t-elle de proposer d'aller dîner au restaurant ? Elle n'a, de sa vie, mis les pieds dans un restaurant, comment peut-elle y songer alors que ses cheveux sont déjà gris ?

Papa se ressaisit alors. Il lui incombe d'intervenir afin que la situation n'échappe pas complètement à leur autorité. « Inutile de gaspiller de l'argent en allant manger au Kwality, dit-il sévèrement. Inutile, c'est du gaspillage. Le Kwality ! Par exemple !

— Le dîner est prêt ici, ajoute maman, qui, elle aussi, se réveille.

— Non, non, nous allons dîner dehors, j'y tiens. J'emmène Uma. Pour le meilleur dîner qu'on puisse se faire servir dans cette ville. N'y a-t-il pas de restaurant, ici, qui ait un bar ? »

Uma elle-même est choquée, elle le met en garde : « Ramubhai ! » Mais, malgré les parents, effrayés et scandalisés, qui protestent en bafouillant avec autant de furie qu'une bande de mainates en train de se chamailler, Ramu reste intraitable. « Pourquoi je ne pourrais pas emmener ma cousine dîner en ville ? Vous m'avez bien chargé un jour d'aller la chercher lorsqu'elle s'était sauvée… » Il leur rappelle d'anciennes relations de confiance que les parents auraient préféré oublier. « N'est-ce pas moi qui l'ai ramenée ? » Il force Uma à se lever, l'envoie se préparer, lui crie à travers la porte de se dépêcher, appelle le jardinier, qui désherbait placidement un coin de la pelouse, pour qu'il aille chercher un rickshaw et, sous le nez des parents scandalisés, il emmène Uma en leur faisant des signes d'adieu avec une exaspérante insouciance, celle de la brebis galeuse qui n'a rien à perdre. « Bye-bye ! crie-t-il. À tout à l'heure, bonsoir ! »

Uma et Ramu sont à l'hôtel Carlton, calés sur les sièges glissants de moleskine rouge d'un box de la salle à manger. Tous les autres clients sont partis. Il est tard. Les serveurs s'appuient contre les piliers de stuc, bâillant et se curant les oreilles ou le nez. Mais Ramu et Uma n'y prennent pas garde. Ramu convoque l'un d'eux en claquant les doigts et lui tend un bout de papier — c'est l'un des tickets des boissons qu'ils ont consommées, accumulés dans une soucoupe à côté de lui, où il a gribouillé quelque chose au stylo à bille — et il lui ordonne de remettre ce papier au chef d'orchestre. « Dis-lui de nous jouer *My Darling Clementine.* » Le serveur va sans se presser jusqu'à la petite estrade où sont assis les musiciens. Ceux-ci nettoient leurs instruments, causent entre eux d'une voix lasse, prêts à ranger leurs affaires et à s'en aller. Le chef leur lance un regard clairement hostile, mais Ramu lui fait des signes amicaux et lui crie des encouragements : « Votre orchestre est fameux, fameux, vous devriez jouer à Bombay, au Taj ! » Les musiciens se sentent obligés de jouer pour mériter ces compliments, mais leurs instruments rendent le même son que des couteaux qu'on lave et qu'on flanque dans un tiroir à la fin d'une soirée.

Ramu adresse un clin d'œil à Uma et chante « *O my Darlin', o my Darlin' Clementine...* »

Uma glisse sur le siège de moleskine ; de longues mèches de ses cheveux, habituellement enroulées dans un chignon bien serré, ont échappé aux épingles en métal et pendent en désordre sur ses joues et son cou. Ses paupières, derrière les verres épais de ses lunettes, clignent en mesure avec la musique. Elle boit une nouvelle gorgée du panaché que Ramu veut lui faire boire, et hoquète comme une ivrognesse d'un mélo sur des femmes déchues.

« Oh, Ramu, hoquète-t-elle, tu es si drô... le !

— Je suis si drô... le, chante Ramu, improvisant sur l'air de *My Darling Clementine*. Je suis un drôle de co... co.

— Ramu ! glousse Uma, postillonnant dans son verre.

— Hop, hop, hop, roucoule Ramu en faisant danser vers elle ses doigts sur la table.

— Stop, Ramu, stop !

— Stop, stop, stop..., chantonne Ramu, en ramenant ses doigts vers lui. Drôle de coco, drôle de coco. »

Uma s'étrangle de rire. Elle rit tant qu'elle en a des larmes aux yeux, elles coulent le long de ses joues.

Ramu reprend son sérieux et s'inquiète. «Ne pleure pas, Uma. Tu te rappelles comme je me suis occupé de toi quand tu t'étais sauvée? Quand je t'ai ramenée à la maison cette fois-là? Je veux que tu t'amuses. Bois encore un verre.» Il claque des doigts en direction d'un serveur appuyé au bar et peu disposé à bouger. «Garçon! Une autre tournée!»

Sa voix résonne de façon inattendue car l'orchestre vient de s'arrêter de jouer. Les musiciens ont déposé leurs instruments d'un air décidé. «Oh non! leur crie Ramu. Ne faites pas ça. Allez, jouez-nous un autre air. Regardez, vous avez encore des clients, ici... Vous ne pouvez pas partir!» Il est debout, et se penche au-dessus de la table. «Jouez-nous quelque chose, nous avons envie de danser.»

Mais les musiciens ne veulent rien entendre; ils rangent les instruments dans leurs étuis et sortent à pas lents. Seul le chef se retourne et leur fait un signe d'adieu. «Bye-bye, crie-t-il, salut!» Il n'écoute pas les supplications et les menaces de Ramu. Puis les lumières s'éteignent, snap, snap, snap. Un serveur vient vers eux, en faisant claquer sa serviette comme s'il voulait les balayer avec les miettes.

Ils se retrouvent tous les deux sur le trottoir jonché de mégots, de tickets de cinéma, de gobelets de glace vides. Uma pleure car la soirée est finie. Ramu essaie de trouver un cyclo-pousse. Il en passe devant eux, mais les conducteurs refusent de s'arrêter, il est tard et ils rentrent chez eux. Ramu est forcé de tirer de sa poche un billet de dix roupies et de le brandir au-dessus de sa tête à la lumière du réverbère. Un conducteur accepte enfin de les emmener à cette heure tardive jusqu'aux Civil Lines [1]. Ils grimpent dans le rickshaw; Ramu se cramponne au bras d'Uma. «Uma, Uma, lui crie-t-il dans

---

1. Quartier résidentiel du temps des Anglais.

l'oreille car elle lui paraît lointaine, tu te rappelles drôle de coco ? Tu te rappelles, Uma ? »

Elle pouffe de rire, et ils rient encore en descendant du rickshaw devant le portail où les attend le jardinier, un petit homme tout desséché, qui porte une torche gigantesque. Il est posté là sur l'ordre de papa, lequel fait les cent pas sur la terrasse et s'élance maintenant vers eux, furibond, le visage aussi noir que la nuit.

« Rentrez dans la maison, vous deux, leur dit-il d'une voix sifflante, rentrez immédiatement.

— Oui, mon oncle, nous rentrons, c'était bien notre intention », dit Ramu d'un ton apaisant. Mais il est poussé brutalement vers la porte, où les attend maman dans son sari de nuit blanc.

Uma est saisie par l'épaule et jetée dans sa chambre avec une telle violence que son sac et ses fleurs lui échappent des mains. Elle se retourne pourtant et tient à dire à sa mère : « J'ai bu un panaché, maman, et il y avait un orchestre, et Ramu et moi nous avons dansé…

— Tais-toi, petite effrontée, plus un mot, idiote ! » Le visage de maman luit comme un couteau dans l'obscurité, devient de plus en plus étroit et cruel en se rapprochant d'elle. « Toi, tu es la honte de la famille, tu l'as *toujours* été ! »

*

En fait, lors des visites de Mira-masi, Uma ne s'était pas aperçue que sa tante vieillissait à vue d'œil, que son énergie juvénile et ses cheveux noirs et brillants — qui choquaient sur une veuve, de l'avis de maman et de bien d'autres parentes — n'étaient plus ce qu'ils avaient été. Son visage devenait terreux et se striait de rides profondes comme le lit d'une rivière à sec; ses cheveux étaient moins épais et grisonnaient. Bien sûr, elle portait toujours ses vêtements blancs de veuve, elle accomplissait les mêmes rites, et continuait même à confectionner des friandises au lait et au sucre pour la famille, mais avec un peu moins d'enthousiasme et d'énergie.

Elle déballait les ornements de son autel avec des soupirs de lassitude, lorsque Uma s'écria : «Mais où est ton Seigneur, masi?» car la statuette de cuivre polie par les ans, si familière, n'était pas là. Mira-masi plissa les lèvres en une moue chagrine. «Volée, ma petite, marmotta-t-elle, on me l'a volée à mon dernier pèlerinage à Rishikesh. Aurais-tu cru qu'on pouvait se voler entre pèlerins? Et surtout l'image de Dieu? Voilà ce qui arrive dans ce *kali-yuga*[1], cette sombre époque.» Elle se frappa le front de sa paume avec une vigueur qui impressionna Uma. «Mais je vais la retrouver, déclara-t-elle d'un ton solennel, en se frappant de nouveau la tête, encore plus fort cette fois. «J'irai dans tous les lieux de pèlerinage, tous les temples, tous les ashrams, jusqu'à ce que je trouve celui qui me l'a volée et je la reprendrai. Je n'aurai aucun repos tant que je n'aurai pas retrouvé mon Seigneur.» Ses yeux étincelaient d'une telle fureur, d'une telle volonté fervente qu'Uma recula, effrayée : elle connaissait l'importance de cette statuette pour Mira-masi, mais n'avait pas saisi le caractère passionné de cet attachement.

Désormais, les pèlerinages de sa tante n'étaient plus les paisibles excursions d'autrefois, lorsqu'en route elle rendait visite à des parents, véhiculant les nouvelles familiales des uns aux autres, s'arrêtant pour les mariages ou pour jouir du beau temps. À présent, elle donnait l'impression de partir à l'as-

---

1. Dans la mythologie hindoue, le monde passe par quatre âges successifs, dont le dernier est le *kali-yuga*, le plus mauvais.

saut de tout le pays, suivant au pas de charge les trajets des pèlerins, tête baissée, bâton en main, ses grands pieds foulant avec énergie la terre piétinée des chemins.

Elle arriva un jour chez eux malade et décharnée et resta couchée, fiévreuse, sur sa natte de roseaux, ne se levant que pour ses dévotions. Elle était en route vers un ashram situé au pied des montagnes. Maman tenta de la dissuader d'y aller : «Il n'y a pas de médecins là-bas, pas de médicaments...», mais Mira-masi était décidée. «J'irai mieux, à l'ashram, dit-elle seulement. Mais permettez-moi d'emmener Uma pour m'aider. Permettez-lui de m'accompagner.» Lorsque Uma entendit cela, ses yeux s'arrondirent comme ceux d'un poisson. Elle n'osait y croire, mais maman était piégée : elle ne pouvait refuser après avoir exprimé de la sollicitude, et Uma eut la permission de partir.

Dans le car, Mira-masi se sentit revivre. Elle était clairement dans son élément à présent. Elle ordonna aux voyageurs de faire place à Uma, les persuada de la laisser garder avec elle son petit baluchon au lieu de le ficeler sur le toit comme tout le monde avec les cantines, les paniers et les rouleaux de literie. Elle se pencha à la fenêtre et fit signe au vendeur de fruits et au vendeur de cacahuètes et fit des provisions qu'elle partagerait avec Uma et ses compagnons de voyage. Lorsque le car s'ébranla enfin et se mit à avancer cahin-caha, elle cria avec jubilation : « *Har, har, Mahadev*[1] !» Son enthousiasme fut si contagieux que tous les voyageurs lui firent écho et répétèrent inlassablement, triomphalement, le même cri. Uma était si gênée que sa gorge se refusait à proférer le moindre son ; elle fut bientôt tourmentée par la soif, la pous-

---

1. Cri de louange au dieu Shiva.

sière, la chaleur qui régnait dans le car, sans parler de l'étrangeté de la situation où elle se trouvait qui aurait été impensable dans le monde présidé par mamanpapa. Elle se redit que cette aventure était exceptionnelle, espérant que cela l'aiderait à éviter les nausées auxquelles elle était sujette en voyage — mais qui s'annonçaient déjà. Uma n'était pas de taille à lutter contre elles et à les réduire à de simples illusions, comme c'était le cas pour les véritables pèlerins, lui assurait Mira-masi. En fait, elle dut grimper sur les genoux de sa tante pour se pencher à la fenêtre et vomir ignominieusement sur le bas-côté poussiéreux de la route. Mira-masi ne fit pas même semblant de s'apitoyer, elle était trop horrifiée par cette saleté, cette souillure. « Il faut nous laver immédiatement, il faut trouver un robinet et nous laver ! » répétait-elle avec agitation. Elle se couvrit le nez avec le pan de son sari, tandis qu'Uma tentait de s'essuyer pour retrouver un aspect un peu moins révoltant. Le car s'arrêtait bien de temps à autre, mais pas devant un robinet où elles auraient pu se nettoyer : c'était pour faire monter de plus en plus de voyageurs — à présent, il y en avait qui étaient quasiment assis sur leurs genoux, leur cou, leurs épaules. L'air torride de midi circulait paresseusement dans le car, lequel semblait à peine capable d'avancer, chargé comme il l'était de passagers et de bagages, et surtout de se frayer un chemin sur une route encombrée de piétons et de véhicules.

Ils finirent par arriver cependant, tard dans l'après-midi et tout ce monde fut déversé à une gare routière, en plein milieu d'un bazar, exacte réplique de tous les bazars de toutes les villes qu'ils avaient traversées. Mais Mira-masi reconnut l'endroit et sut aussitôt quoi faire. Elle héla, dans une rangée de carrioles délabrées et couvertes de mouches qui planaient et bourdonnaient au-dessus d'elles comme pour les dévorer, une tonga accrochée au plus piteux des canassons, elle y grimpa avec Uma et leurs bagages, et ordonna au cocher de les conduire à l'ashram. Uma était assise, les mains agrippées aux montants de l'auvent et concentrait tous ses efforts pour ne pas glisser de son siège étroit et en pente, ce qui la gardait éveillée. L'air circulait au moins librement dans cette carriole ouverte, bien qu'il fût fétide et pollué par les gaz d'échappement des cars et des rickshaws à moteur vrombisssant autour d'eux. Uma ne roulait pas souvent en tonga et cette course cahotante et bruyante la transportait de bonheur ; Mira-masi, elle, avait enfoui son visage dans un pli de son sari pour ne pas voir le cocher — sa courte barbe teinte au henné et sa calotte brodée, sur la tête, le désignant comme musulman —, ni son fouet à lanières de cuir avec lequel il frappait l'arrière-train écorché et squelettique du pauvre cheval. Uma entendait sa tante murmurer des « *Hari Om*[1] » comme pour garder à distance les démons impurs. « Vous allez bien ? » lui demanda Uma, suffisamment remise maintenant pour se soucier de sa tante. « Comme c'est *amusant* ! » ajouta-t-elle d'un ton encourageant, ce qui lui valut un coup d'œil consterné de Mira-masi.

La tonga sortit enfin de la ville et les amena à l'ashram ; à en juger par le soulagement manifesté par Mira-masi, dans son regard, sa voix, ses gestes, Uma comprit qu'elles étaient au bout de leurs épreuves. Le portier parut la reconnaître, car il ouvrit le grand portail métallique peint en bleu ciel, et alla jusqu'à porter leurs balluchons jusqu'aux bâtiments de l'ashram dispersés autour d'une vaste cour, au pied de collines basses et broussailleuses. Il n'y avait personne en vue. Une chienne jaune dormait à l'ombre de lauriers-roses en fleur. Le temple, qui se trouvait à une extrémité de la cour, était

---

1. *Om* : « Seigneur ».

peint de couleurs vives, rose, bleu et vert, et paraissait désert. Mira-masi se rendit directement, sur un sentier couvert de gravier et bordé de buissons bien entretenus, vers un bâtiment long et bas au toit plat, bordé d'une profonde véranda, et qu'ombrageait un immense banyan où des perruches picoraient avec satisfaction des baies et les faisaient retomber dans la poussière.

C'était là qu'elles devaient loger toutes les deux, à une extrémité de la véranda. Leur chambre était nue. Elles posèrent leurs sacs sur le sol en ciment. Il y avait un balai posé dans un coin pour le ménage et une jarre d'eau potable sur la véranda ; le porteur d'eau la remplissait chaque matin avec l'eau de la rivière qui coulait au-dessous de l'ashram ; un chemin serpentait à travers les broussailles roussâtres et les rochers jusqu'en bas, où courait un mince filet d'eau verte entre des parois d'argile desséchée. D'immenses aigles pêcheurs tournoyaient nonchalamment au-dessus de ce paysage silencieux. Ce n'est que pour la prière du matin et celle du soir que l'on frappait les cymbales, que retentissaient les cloches, et que tous se réunissaient au temple. Le reste du temps régnait le silence.

Mira-masi restait assise, jambes croisées, sur le sol de la véranda, tenant dans ses mains un chapelet aux grains de bois et remuant silencieusement les lèvres. Lorsqu'elle avait un accès de fièvre, elle retournait dans la chambre, s'allongeait sur la natte qu'elle avait étendue par terre et ses lèvres continuaient à murmurer des prières jusqu'à ce qu'elle s'endorme. Elle n'ouvrait que de temps en temps les yeux et regardait Uma, comme presque étonnée de sa présence. Uma était parfaitement contente de passer inaperçue. De sa vie, elle n'avait été si heureuse et si peu surveillée.

On attendait d'Uma qu'elle se joigne aux autres, prêtres, pèlerins, veuves, et s'asseye sur le sol avec eux pour manger le riz et les légumes qu'on leur distribuait. Elle aurait préféré prendre ses repas toute seule sous le banyan — elle était la seule personne jeune de l'ashram —, mais ce n'était évidemment pas possible. Le regard de Mira-masi avait été suffisamment éloquent.

Parfois, à contrecœur, elle accompagnait sa tante au temple pour les prières du soir et, assise sur la terrasse, elle écoutait un prêtre aux yeux ardents et fanatiques jouer de l'harmonium et entraîner l'assistance à chanter des hymnes fervents.

> *Oh, souffle dans la conque,*
> *Allume l'encens,*
> *Tandis que le Seigneur,*
> *Tenant le feu dans sa main,*
> *Danse au son du tambour,*
> *Sur le champ de crémation.*

Uma s'efforçait de ne pas regarder le prêtre en face et de ne pas écouter les paroles de l'hymne ; les assistants avaient une attitude passive qui la mettait mal à l'aise, comme si mamanpapa, ces ennemis jurés de la passivité, étaient derrière son dos et l'observaient avec mépris, elle et tous les autres. Cela lui rappelait le jour où elle avait couru jusqu'au couvent, que sœur Teresa l'avait ramenée à la maison et livrée à la fureur de maman. Elle était inquiète de se sentir une fois de plus prise entre des forces puissantes qui la tiraient dans des directions opposées ; il était inutile qu'elle demande conseil à Mira-masi, cela ne lui attirerait sûrement que des ennuis.

Heureusement, elle était laissée à elle-même pendant une grande partie de la journée, qu'elle passait à errer jusqu'à la rivière. Il faisait trop chaud en plein jour pour s'aventurer sur le sable brûlant, mais elle pouvait s'en approcher très tôt le matin, lorsque la lumière était encore pâle et transparente, ou à la fin de l'après-midi, quand le soleil se retirait et que se levait une brise légère. Autrement, elle restait sur la colline où elle cueillait des baies trop dures et trop vertes pour être comestibles, observait les insectes sillonner les sentiers, puis disparaître dans les fentes des rochers. Ou bien elle s'asseyait sous un arbre grisâtre et épineux, à l'ombre clairsemée, et regardait les aigles pêcheurs planer dans le vaste ciel.

Au loin, sur un éperon rocheux, un vénérable ermite aux cheveux blancs s'était installé dans une grotte. Uma s'en approchait parfois tout doucement pour l'épier, mais à mi-distance elle prenait peur et rebroussait chemin en courant, prise de panique.

Lorsqu'elle rentrait à l'ashram, généralement tard, après avoir marché pendant des heures le long de la rivière, pieds nus sur le sable, Mira-masi la regardait comme si elle ne la reconnaissait pas. Elle la saisit, un soir, par les épaules, la força à s'agenouiller devant elle, contempla sa figure maculée de boue, ses cheveux en désordre et pleins de sable, ses vêtements tachés. Ses yeux se plissèrent, et Uma, s'attendant à une réprimande, eut un mouvement de recul.

Mais Mira-masi murmura de ses lèvres sèches : « Tu es l'enfant du Seigneur. Le Seigneur t'a choisie, tu portes Sa marque. »

Uma fut beaucoup plus terrifiée que si sa tante avait menacé de la punir pour être restée dehors si tard. Peut-être était-elle étourdie d'être restée trop longtemps au soleil, sans manger suffisamment. Peut-être était-ce dû au regard hypnotique de Mira-masi. En tout cas, elle sentit qu'elle ne pouvait plus bouger. Toujours à genoux, les yeux fixés sur ceux de sa tante, qui la tenait par les épaules, elle se mit à trembler. Des élancements douloureux montaient de ses genoux. Elle essaya de se dégager, de se jeter sur le sol, mais Mira-masi la retenait, ce qui la fit se débattre encore plus violemment, si bien qu'elle finit par tomber par terre. Effrayée, la tante tâcha de la relever, mais Uma se raidit, devint toute froide, serra les dents et se mordit la langue d'où s'écoula un filet de sang d'un rouge vif, puis elle commença à se rouler sur le sol d'un côté puis de l'autre, à agiter la tête, tandis que Mira-masi s'efforçait de la retenir en gémissant : « Ma petite fille, ma petite fille ! »

Des prêtres, qui se promenaient dans la cour, l'entendirent, et arrivèrent en courant. Ils trouvèrent Uma se roulant par terre, se cognant la tête, tambourinant des pieds sur le sol, et Mira-masi, impuissante et pleine de crainte religieuse. Effrayés, ils restèrent à la porte en poussant des cris apeurés.

« Elle est possédée, dit Mira-masi, le Seigneur a pris possession d'elle. »

À ces mots, Uma poussa un cri qui se prolongea si longtemps que son visage devint bleu, puis violacé. Elle ne pouvait s'arrêter ni reprendre son souffle, qui l'abandonnait en une longue et stridente expiration. Tous la regardaient, pétrifiés.

Soudain, les prêtres furent brusquement écartés de la porte, et un pèlerin, qui logeait dans une chambre à l'autre bout de la véranda, fit irruption dans la pièce. À la vue d'Uma gisant à terre, suffoquant, le visage bleu et violacé, il se pencha et la souleva comme un nouveau-né, la frappa dans le dos, et lui donna des claques d'une main vigoureuse. Il avait été médecin autrefois, mais avait abandonné son cabinet à Calcutta pour apprendre puis enseigner le yoga. Il était redevenu médecin à présent, il accouchait une femme absente d'un enfant récalcitrant. Et Uma, tel un bébé, haleta sous le choc, inspira, haleta encore et inspira de nouveau et ses poumons se remirent à fonctionner. Pendue au bras brun et musclé du médecin, elle aspirait l'air avec avidité.

Elle avait un public. Tous la regardèrent, bouche bée, jusqu'au moment où elle fut prise subitement de violents vomissements qui se répandirent dans toute la pièce. Ce fut alors la débandade. Mira-masi criait : «Tchh... Oh... Aré[1]!» Humiliée, Uma se laissa retomber sur le sol.

Tous témoignaient à présent un grand respect à Uma, et l'observaient avec curiosité. Elle était toujours la seule personne jeune de l'ashram — on s'apercevait bien qu'elle avait un comportement puéril quand on la voyait narguer les singes perchés dans le banyan ou manger les baies vertes des buissons de la colline —, mais on n'osait la traiter comme une enfant, ni même lui parler. Quand Mira-masi le lui demandait, elle l'accompagnait au temple ; le prêtre principal lui faisait signe d'entrer, mais Uma reculait et lâchait le pan du sari de sa tante qu'elle tenait. On n'insistait pas, mais le jeune prêtre, qui jouait de l'harmonium, avait les yeux fixés sur elle lorsqu'il chantait, et sa voix n'était plus aussi ferme mais vibrait d'émotion :

> *Mes yeux voient les formes dorées*
> *De mon Seigneur,*
> *Et le croissant de lune brillant*
> *Sur ses tresses.*
> *La joie jaillit en mon cœur*
> *Comme le miel dans un lotus.*

1. «Oh là!»

74

Uma regardait ses genoux. Elle y grattait la croûte d'une écorchure jusqu'au moment où sa tante la poussait du coude. Elle baissait alors les genoux, s'efforçait de rester immobile, et regardait le plafond peint en bleu d'où pendaient des guirlandes pailletées et des banderoles décolorées, comme oubliées là depuis un anniversaire.

La nuit, elle était paisiblement étendue sur sa natte et écoutait les aboiements du chien de l'ashram. Les autres chiens, ceux des villages au loin, éparpillés le long de la rivière ou par-delà les hautes herbes, ou ceux des cabanes et des masures du bord de la route, lui répondaient. Ils communiquaient par de longs hurlements ; leurs messages traversaient l'obscurité de la nuit, qui était totale, absolue. Les aboiements s'y enfonçaient peu à peu, puis s'y noyaient. Le silence régnait alors. Uma sentait qu'il en avait été ainsi de sa vie : les aboiements, les hurlements, les messages, et maintenant le silence.

Le portail de l'ashram s'ouvrit. Une tonga y était arrêtée. Deux silhouettes poussiéreuses, aux vêtements en désordre, une grande, une petite, s'en extirpèrent. L'une avançait en boitant, l'autre en sautillant sur le gravier du chemin. C'étaient Ramu et Arun.

Ramu jeta son sac sur les marches de la véranda et s'effondra, le teint cendreux. D'un ton de reproche, il dit à Uma, muette de surprise, en s'épongeant le visage avec un mouchoir sale : « Je suis venu pour te ramener à la maison. Tu aurais pu choisir un meilleur moment que le plein été pour t'enfuir !

— Uma, glapit Arun à l'autre bout de la véranda, regarde les singes dans l'arbre ! Tu as un lance-pierres ? »

Mira-masi enfouit sa tête dans ses mains. « Qu'est-ce que ça veut dire ? Qui les a envoyés ? Qui leur a dit de venir ici ? »

Uma était restée immobile, ses bras entourant le pilier de stuc de la véranda ; elle ne savait que dire tant elle était partagée entre le ravissement de voir son cousin Ramu et l'embarras d'être la cause de son extrême fatigue. « Je... ne sais pas..., je... ne sais pas », dit-elle à sa tante. « Ramu-bhai, demanda-t-elle, qui t'a envoyé me chercher ? Je ne me suis pas enfuie. Je suis ici, simplement.

— Je le vois bien, que tu es ici, répliqua Ramu, et je le regrette. Autrement, je n'aurais pas fait tout ce chemin en car et en tonga pour te ramener comme me l'a demandé ton papa.

— Me ramener ? Pourquoi ? » demanda Uma d'une voix tremblante, nouant ses mains autour du pilier. Elle avait complètement oublié qu'elle était censée rentrer à la maison.

« Parce que tes mamanpapa croyaient que tu reviendrais au bout d'une semaine et qu'il y a un mois que tu es partie. Quand je suis arrivé chez eux avec l'espoir de prendre un peu de repos, ils étaient tous à vociférer, à se lamenter, persuadés que tu avais été kidnappée par les prêtres.

— C'est quoi, kidnappée ? demanda prudemment Uma.

— Volée, enlevée ! cria Ramu. Tout ça. Et ils m'ont envoyé pour te délivrer. Ne me demande pas pourquoi ça devait être moi et pas ton père : je suppose qu'il ne pouvait pas voyager en car et en tonga, il aurait perdu la face. La prochaine fois que tu te sauveras ou que tu te feras enlever, arrange-toi pour que ce soit quelque part sur une ligne de chemin de fer. »

Uma lançait des regards apeurés à Mira-masi, qui fronçait les sourcils : elle ne comprenait pas Ramu, car il parlait anglais, mais elle était capable de saisir le sens de la conversation. Au ton de Ramu, elle devinait ce qu'il était venu faire. Assise par terre, jambes et bras croisés, les pieds dissimulés dans les plis de son sari, elle se préparait à la bataille. Elle n'allait pas se laisser faire par ce hors-caste impur de Bombay, qui parlait anglais et mangeait de la viande. Mais Ramu, l'ignorant tout bonnement, ne s'adressait qu'à Uma. «Sois gentille, va me chercher un verre d'eau. Tu ne vois pas que ton vieux cousin va se trouver mal? Et fais taire ton frère, veux-tu? Il a déjà été assez assommant pendant tout le voyage…» Il jeta un regard amer dans la direction d'Arun, qui courait autour du banyan à la recherche d'un bâton à lancer sur les singes.

Uma, soulagée d'avoir quelque chose à faire, courut chercher un verre où elle versa de l'eau de la jarre. Ramu le prit et, fermant les yeux, le vida sur sa tête; l'eau coula dans ses cheveux et ses yeux, dégoulina le long de son nez et de son menton jusque dans son cou. Uma se rappela pourquoi Ramu avait toujours été son cousin favori; elle hurla de rire, pliée en deux, les mains sur les hanches.

Mira-masi était immobile, telle une statue de pierre. Sa désapprobation était si vive qu'elle pinçait la bouche, comme si elle mordait dans un fruit vert et acide. Elle envoya Uma calmer Arun avant que l'on ne vienne se plaindre du tapage qu'il faisait. On comprenait à son regard qu'elle profiterait de l'absence d'Uma pour s'occuper de Ramu.

La bataille fit rage tout l'après-midi, et fut surtout livrée de façon muette, avec des mimiques et des gestes, et parfois un mot cassant, exaspéré. Ramu était accablé, et levait les yeux au ciel comme pour le prendre à témoin de ses sentiments. Mira-masi, droite comme un I, les mains jointes sur ses genoux, la bouche rentrée dans son menton, dardait, telles des flèches, des regards enflammés sur son adversaire. Mais lorsque Uma se glissait un instant dans la chambre en les regardant avec effroi, Ramu lui faisait une grimace — lui tirait la langue, lui faisait un pied de nez, ou feignait de se verser un verre d'eau sur la tête. Uma ne pouvait s'empêcher de rire et Ramu, armé de ces rires, gagna la bataille.

Uma se retrouva installée dans un cyclopousse qu'avait hélé le portier pour les conduire à la gare routière. Que ce fût la difficulté pour les trois passagers de s'asseoir sur un seul siège, ou de charger les bagages, toujours est-il qu'on n'eut pas le temps de prendre congé, de se dire adieu. Le rickshaw avait déjà franchi le portail bleu ciel et s'élançait sur la route dans un tourbillon de poussière grise lorsque Uma se rendit compte qu'elle avait été arrachée à Mira-masi, à l'ashram, à la rivière, et qu'elle était en route pour la maison. Dans son émotion, elle tenta de se lever et de sauter du rickshaw.

«*Assieds-toi*, Uma, cria Ramu. Tu veux qu'en plus j'aie à m'occuper de bras et de jambes cassés?» Mais, à la vue de son visage désespéré, il abandonna son ton sévère, et lui demanda d'un ton contrit : «Tu as l'air affamée. On va s'arrêter et manger des *samosas*[1] à la gare avant de monter dans le car.

— Des *samosas*! hurla Arun. Youpi...» Lui, il n'était qu'un gamin en vacances.

Uma s'efforça par politesse d'en manger sous le regard bienveillant et encourageant de Ramu; il lui avait tendu les *samosas* sur un bout de papier journal comme une offre de paix, une consolation, mais Uma avait la gorge sèche, rien ne passait; incapable de parler, elle le regarda à son tour, d'un air suppliant, et ce fut Arun qui mangea sa part.

1. Beignets de légumes.

# 6

Il y a des années que maman ne s'est plus commandé de bijoux, mais le vieux joaillier vient tout de même chaque hiver déballer son chargement et sortir des écrins qu'il ouvre devant elle dans l'espoir de la tenter suffisamment pour qu'elle ne puisse plus résister.

Maman commence toujours par refuser, puis elle dit à Uma d'aller chercher des bracelets en or ou une chaînette cassée. Le bijoutier, qui rangeait déjà ses écrins et remballait son ballot, lève la tête et a un joyeux sourire qui découvre ses dents tachées de jus de bétel. « C'est cette année que je vais faire les bijoux pour le mariage de Baby ? » demande-t-il. Depuis qu'Uma a deux ans, il fait la même plaisanterie. À chacune de ses visites, ils sont tous les deux un peu plus grisonnants, un peu plus vieux. À présent, il y voit à peine à travers ses lunettes qu'il a réparées avec du sparadrap et de la ficelle pour pouvoir les faire tenir sur son nez.

Il est assis dans un coin de la véranda, sur le drap blanc que maman a fait étendre pour lui ; courbé sur ses instruments et sa petite lampe, il transforme un bracelet en quatre minces anneaux d'or, ou quatre minces anneaux d'or en un bracelet, selon ce que lui dicte le caprice de maman, qui le regarde faire en se balançant ; elle fredonne de plaisir à la vue de ce métal brillant dont elle raffole. Uma raccommode les jupons de maman ou tricote un chandail pour Arun, qui sera plus pratique, se dit-elle, que le châle que sa mère lui a envoyé pour le protéger du froid, au Massachusetts ; son regard est parfois attiré par le métal précieux. De temps à autre, elle se lève pour apporter un verre de thé au bijoutier. Celui-ci le dépose à côté de lui, sur le sol, la remercie d'un large sourire et caquète : « Et les bijoux de mariage pour Baby ? C'est pour cette année ? » Uma ne peut jamais s'empêcher de rougir et elle le rabroue : « Ne dites donc pas de bêtises. À votre âge, parler ainsi pour ne rien dire… »

*

Il y avait un temps, une saison, où toutes les jeunes filles de cette grande famille dispersée aux quatre coins du pays semblaient subitement prêtes à être mariées. On aurait dit que leurs mères les avaient soignées comme des fleurs en pot jusqu'au moment où leurs joues seraient assez pleines, leurs lèvres assez brillantes ; petits rires et chuchotements aboutissaient à cette grande décision : *le mariage*.

Ainsi qu'on aurait pu le prévoir — depuis des années, c'était l'avis des grand-mères et des tantes —, la cousine Anamika, dans le lointain Bombay, fut le premier fruit à être cueilli. Elle semblait être la jeune fille la plus accomplie de sa génération, et ce n'était pas dû uniquement au contraste surprenant qu'elle offrait avec son malheureux frère Ramu, difforme, contrefait, affligé d'un pied bot, au dos voûté, aux yeux presque aveugles — un fils, un enfant raté, auquel avaient manqué la grâce et les dons accordés à sa sœur. Ce n'était pas qu'une question de beauté : Aruna était jolie elle aussi, et il fut très tôt évident qu'elle avait un bel avenir devant elle, mais sa beauté avait un côté coupant, dur, dû à une sorte de détermination inflexible, d'ambition obstinée qui semblaient issues d'un certain désespoir. Chez Anamika, il n'y avait rien de tel : elle était simplement délicieuse, avait le charme d'une fleur, la peau douce, des yeux aux reflets d'or, des lèvres roses ; elle semblait toujours prête à rire d'un rire perlé de colombe, son sourire était tendre, sa nature rayonnante. Où qu'elle fût régnaient la paix, la joie, le bien-être.

Quand elle était petite, ses parents l'emmenaient lors de leurs visites — peu fréquentes car le cabinet d'oncle Bakul était si prospère qu'il ne pouvait guère quitter la ville — chez son frère cadet, à la carrière plus laborieuse et moins spectaculaire que la sienne, qui avait préféré être un grand personnage dans une petite ville de province plutôt qu'affronter les défis d'une métropole. Ce qui créait, lorsqu'ils étaient réunis, une atmosphère de rivalité et de critiques mutuelles, reflétée fidèlement par leurs épouses, qui rendait ces visites fort pénibles. De plus, Uma et Aruna se livraient à une compétition féroce pour attirer l'attention d'Anamika. Bras dessus bras dessous, Uma emmenait sa cousine dans sa chambre pour lui montrer sa collection de cartes de Noël, tandis qu'Aruna essayait de l'entraîner dans les magasins pour acheter des bracelets de verre. Si Uma voulait se promener avec Anamika dans le jardin où le parterre de roses fleurissait brièvement pendant la saison fraîche — l'hiver était la seule saison où oncle Bakul et tante Lila envisageaient de venir les voir —, Aruna voulait la garder à la maison pour lui faire admirer tous les vêtements de son armoire. Anamika réussissait à leur faire plaisir à toutes les deux, acceptait leurs propositions avec le même sourire et le même empressement. Elle ne se laissait jamais entraîner dans un camp plutôt que dans l'autre, elle maintenait cet équilibre en restant au centre, si bien que tous venaient à elle, attirés comme des abeilles par un lotus. Un lotus : avec sa beauté profonde, laiteuse, paisible, c'est ce qu'elle était. Ou encore une perle lisse et lumineuse.

Elles se retrouvaient parfois dans d'autres villes, à des mariages familiaux auxquels accouraient les parentes des quatre coins du pays, ravies d'exhiber leurs saris et leurs bijoux les plus somptueux. Un petit groupe de jeunes du même âge se formait alors et s'ébrouait bruyamment sous la tente de la noce, buvant d'innombrables limonades, mangeant une quantité de friandises qui aurait rendu malade un éléphant, et c'était toujours Anamika qui les empêchait de dépasser les bornes, sans un mot ni un regard, mais uniquement par son attitude paisible, équilibrée, courtoise, gracieuse. Il suffisait qu'elle soit présente pour que règnent la modération, le bon sens, le calme.

Les adultes eux-mêmes admiraient les cheveux brillants d'Anamika, ses tresses épaisses, ses grands yeux rêveurs, et souriaient, tristement parfois, comme s'ils se disaient à part eux que leurs filles ou belles-filles n'égaleraient jamais cette enfant si douée. Nombreux étaient ceux qui pensaient que Ramu avait attiré sur lui tous les malheurs et qu'ainsi le destin ne pouvait qu'être favorable à sa sœur. Oncles et grand-pères aimaient avoir Anamika auprès d'eux, l'interrogeaient sur son école, ses études, car le plus étonnant était qu'elle n'était pas seulement belle et bonne, mais aussi une élève exceptionnelle.

D'ailleurs, ses résultats avaient été si brillants à son examen de fin d'études qu'elle avait obtenu une bourse pour Oxford — où seuls les garçons privilégiés et les plus favorisés pouvaient espérer aller! Naturellement, ses parents ne tolérèrent pas qu'elle aille faire des études à l'étranger juste au moment où elle était en âge de se marier ; tout le monde le comprit et fut du même avis, si bien que la lettre d'admission à Oxford fut rangée dans une armoire métallique dans l'appartement de Marine Drive à Bombay. Lorsqu'il y avait des visiteurs, on sortait la lettre pour la montrer fièrement à la ronde, on félicitait Anamika, qui baissait les yeux, jouait avec le bout de sa tresse et restait muette. Elle n'avait jamais pu se résoudre à contredire ses parents ni à leur faire de la peine.

Cette bourse devint un des atouts que les parents purent faire valoir quand ils commencèrent à lui chercher un époux — et c'est ainsi qu'elle en gagna un, considéré comme étant sur un pied d'égalité avec la lauréate de la famille.

Alors pourquoi tout changea-t-il au moment où le triomphe aurait dû être à son comble ? Pourquoi la chance tourna-t-elle jusqu'à sombrer de façon affreuse ?

C'était en partie à cause de la bourse d'Anamika qu'un prétendant avait été choisi, qu'il avait retenu l'attention des parents parmi une nuée d'autres prétendants : il avait des qualifications égales à celles de leur fille ; lui aussi avait des diplômes, des médailles, et il paraissait évident que ce serait un couple bien assorti.

Uma, Aruna et toutes les autres cousines se pressèrent autour d'elle lorsque le fiancé arriva à la noce ; à sa vue, elles tombèrent à la renverse, atterrées. Il était tellement plus âgé qu'Anamika, tellement revêche et sûr d'être supérieur à tous ceux qui étaient présents. Les diplômes et les médailles l'avaient rendu insupportablement orgueilleux et distant. Les jeunes comprirent aussitôt qu'à cette noce on ne plaisanterait pas, qu'on ne recevrait pas de petits cadeaux du marié.

En fait, il les remarquait à peine, pas plus qu'il ne semblait remarquer Anamika. Ils virent aussitôt que leur cousine épousait quelqu'un de totalement insensible à sa beauté, à sa grâce, à sa distinction ; il était bien trop occupé à préserver sa dignité, haussant le menton et le nez — qu'il avait aussi long et pointu qu'une aiguille — et son regard passait par-dessus la tête d'Anamika lorsqu'ils échangèrent les lourdes guirlandes de roses, puis s'assirent devant le feu rituel. Les jeunes se démenèrent, se tordirent le cou pour voir ce qu'il pouvait regarder ainsi ; y avait-il un miroir au-dessus de la mariée où il pouvait se contempler ?

Oui, il y en avait un, en quelque sorte : c'était le visage de sa mère, qui avait le même nez pointu, le même air revêche, qui ne détachait pas ses yeux de ceux de son fils et avait une expression de résignation stoïque devant l'adversité. En effet, on devait découvrir par la suite que l'époux d'Anamika avait un attachement si exclusif pour sa mère qu'il ne laissait de place à personne d'autre. Anamika n'était qu'une intruse, on ne l'avait admise que parce que telle était la coutume, et que par ce mariage il affirmait sa supériorité sur les autres hommes. Il fallait donc que sa mère et lui la tolèrent.

Seulement, ils ne la tolérèrent pas. Personne ne le disait ouvertement mais, pendant un ou deux ans, Uma et Aruna surprirent des rumeurs, des propos à voix basse qui baissaient encore d'un ton si elles se trouvaient à portée de voix. Quand elles attrapaient au vol une allusion, une information, elles en étaient toujours extrêmement troublées. On avait battu Anamika ; sa belle-mère la frappait régulièrement devant son mari, qui approuvait ou du moins n'élevait pas d'objection. Anamika passait ses journées dans la cuisine à préparer des repas pour sa belle-famille qui était si nombreuse qu'il y avait plusieurs services — on servait d'abord les hommes, puis les enfants, et enfin les femmes. Elle-même ne mangeait que ce qui restait dans les casseroles avant de les récurer (ou bien Uma et Aruna avaient-elles imaginé ce dernier détail?), et si les casseroles n'étaient pas convenablement récurées, entendaient-elles, la belle-mère les jetait par terre et la faisait recommencer. Quand Anamika n'était pas occupée à astiquer ou à faire la cuisine, elle était dans la chambre de sa belle-mère, lui massait les pieds, ou pliait et rangeait ses vêtements. Elle ne sortait jamais de la maison, sauf pour aller au temple avec les autres femmes de la famille. Elle n'était pas une seule fois sortie seule avec son mari. Aruna se demandait ce qu'elle faisait de tous les beaux saris et bijoux qu'elle avait reçus à son mariage.

Puis on apprit qu'Anamika avait dû aller à l'hôpital. On disait qu'après avoir été battue elle avait fait une fausse couche à la maison, qu'elle ne pourrait plus avoir d'enfants. À présent, elle était devenue une marchandise défectueuse, avariée. La renverrait-on dans sa famille? Tous attendaient de connaître son sort.

«Ils la renverront, j'espère, dit Uma. Elle sera heureuse d'être de nouveau à la maison avec tante Lila.

— Tu es vraiment stupide, Uma», répliqua vivement maman en tapant sur son pied où s'était posé un moustique avec son petit éventail de palmes. «Comment pourrait-elle être heureuse d'être renvoyée dans sa famille? Que diraient les gens? Que penseraient-ils?»

Tandis qu'Uma, ébahie, cherchait un argument pour terrasser les idées absurdes de sa mère — comme celle-ci avait terrassé le moustique —, Aruna s'écria : «On se moque bien de ce que disent les gens, de ce qu'ils pensent!»

Leur mère les gronda : «Ne parlez pas ainsi, je ne veux pas entendre toutes ces idées modernes. C'est donc cela que les sœurs vous ont appris ? » Elle lança un regard furieux à Uma ; mère Agnès venait justement de lui rendre visite, comme elle le faisait régulièrement, pour la convaincre de renvoyer Uma à l'école, ce qui l'irritait toujours énormément. Uma jugea préférable de ne pas insister. Cette fois, ce fut Aruna qui encourut les foudres de maman. « À quoi bon toutes ces études chez les sœurs ? Il vaut mieux qu'on vous marie au lieu de vous laisser aller *là-bas*… » Elle agitait frénétiquement son éventail de palmes.

Maman fut de mauvaise humeur cet été-là. Lorsque des amies ou des parentes venaient en visite, il était question d'un problème féminin au nom compliqué. Aruna se contentait de balancer son pied, de jouer avec sa tresse, et frémissait intérieurement d'impatience.

# 7

Uma est passée par la haie qui les sépare des voisins pour leur porter un message de maman, laquelle a besoin d'un modèle de tricot ou leur envoie un magazine qu'elle leur prête habituellement. Mrs. Joshi est dans sa cuisine, le pan de son sari rentré à la taille, en train de confectionner de la glace. Ou plutôt de surveiller un petit domestique qui tourne la manivelle d'un baquet de bois. Dès qu'elle aperçoit Uma dans le jardin, elle lui fait signe de la main. «Tu arrives juste à temps, la glace est presque prête; ne t'en va pas sans y goûter.» Uma, dont le visage s'illumine à cette perspective, accourt. Elle aussi regarde le garçon tourner la manivelle et écoute les glaçons s'écraser, se broyer, jusqu'au moment où Mrs. Joshi soulève le couvercle, et plonge sa cuiller pour vérifier que la glace est assez épaisse. Uma aussi s'exclame de plaisir lorsque la glace est déclarée prête. Mrs. Joshi en remplit une petite assiette en verre rose pour Uma et reste devant elle, les mains sur les hanches, à la regarder manger; Uma avale si vite sa glace, et avec de si grosses bouchées que Mrs. Joshi lui en sert une seconde fois. Quand Uma a fini, elle lèche soigneusement sa cuiller avant de la poser sur l'assiette, et la tend au petit domestique, lequel l'a observée avec un sourire en coin.

Après le départ d'Uma, Mrs. Joshi se tourne vers la vieille tante qui habite avec eux depuis son veuvage et qui est venue voir s'il se passe quelque chose d'intéressant à la cuisine. «Cette Uma, dit-elle en hochant la tête, se comporte comme une enfant de six ans. Elle ne grandira donc jamais, la pauvre fille?»

Le petit domestique, qui fait la vaisselle debout devant l'évier, laisse échapper un ricanement. Mrs. Joshi se retourne avec vivacité pour le gronder.

*

Pendant la triste période qui suivit le mariage d'Anamika, tous les membres de la famille reçurent une lettre de papa qui disait : «Uma est encore un peu jeune, mais on peut considérer qu'elle est maintenant en âge de se marier, et nous ne voyons aucune raison à ce qu'elle poursuive ses études au-delà de la huitième…» Papa ne disait pas qu'il avait retiré Uma de l'école bien avant qu'elle n'atteigne cette classe. La lettre causa des remous dans les rangs des tantes et des cousines qui, toutes, réunirent leurs efforts, et les remous revinrent à leur source. Certaines des réponses contenaient des photos de jeunes gens susceptibles d'être intéressés et qui étaient connus de ces dames dans leurs villes lointaines. On les montra à Uma, signe des idées avancées de ses parents. Aruna les regarda par-dessus l'épaule de sa sœur et lui montra un grand dadais à lunettes et presque chauve, et un autre aux dents gâtées et aux cheveux gras. Uma, irritée qu'on critique ses prétendants, essaya de la repousser, mais elle dut convenir — et cela lui fit un peu peur — qu'ils avaient tous l'air sombre et renfrogné. Pour des raisons qui ne lui furent pas communiquées, on en choisit un, qui fut invité à venir les voir avec sa sœur et son beau-frère, lesquels habitaient en ville et connaissaient même leur voisine, Mrs. Joshi — en fait, c'était Mrs. Joshi qui, ce qu'Uma ne savait pas, s'était procuré la photo du jeune homme.

Maman prêta à Uma un de ses saris pour l'occasion, un sari crème en crêpe georgette, dont toute la bordure était brodée de petits bouquets de roses. «C'est d'un démodé! dit Aruna avec dédain. Un vrai sari de grand-mère!» Maman enroula les tresses d'Uma en chignon sur sa nuque et y piqua une fleur rose au bout d'une longue épingle. «Il faudrait te poudrer un peu la figure, dit-elle en dévisageant Uma d'un air insatisfait. Ça couvrirait quelques boutons. Pourquoi en as-tu autant aujourd'hui? demanda-t-elle d'un ton accusateur. Tu n'en avais pas hier...

— J'en ai tout le temps des nouveaux, maman, dit Uma. Aïe! cria-t-elle, car sa mère les frottait un peu trop fort avec une houpette qui sentait désagréablement la transpiration.

— Ne bouge pas. Il faut que tu sois à ton avantage, dit maman d'un ton sévère.

— Pourquoi, maman?» Uma se tortillait et fermait les yeux car des nuages de poudre violemment parfumée voletaient autour d'elle. «Ce n'est qu'un ami de tante[1] Joshi...

— Il y aura *aussi* son frère de Kanpur, ajouta maman d'un air entendu. Il est dans une affaire de cuirs», et elle frotta de plus belle la peau d'Uma comme si c'était un cuir qui serait soumis à examen.

Mais ce n'était pas seulement sa peau qu'Uma devait mon-

---

1. «Oncle», «tante» : termes affectueux employés par les enfants pour désigner les amis de la famille.

trer, il fallait qu'elle fasse preuve d'autres talents. «Écoute-moi, si Mrs. Syal te demande si c'est toi qui as préparé les *samosas*, il faut que tu dises oui.

— Les *samosas*! gloussa Uma, qui tâta le plus bourgeonnant de ses boutons maintenant que maman avait fini de frotter.

— Oui, il y aura des *samosas* pour le thé, et des *barfis*[1].

— J'ai aussi fait les *barfis*?

— Oui, parfaitement», trancha maman d'un air menaçant et féroce. Tout ce travail pour un si piètre résultat… C'était sa destinée. Elle avait toujours tellement envié tante Lila d'avoir une fille comme Anamika, un modèle de perfection… Elle soupira : non, elle n'avait pas de chance.

«Et si elle me demande comment j'ai fait? s'écria Uma. Je ne saurai pas quoi répondre.

— Et *pourquoi* tu ne saurais pas? Je ne t'avais pas dit d'aller à la cuisine pour apprendre tout ça? Il y a des années que je te le demande et tu ne m'as jamais écoutée. Non, tu étais chez les sœurs et tu chantais tous ces cantiques chrétiens; tu faisais du sport avec cette maîtresse anglo-indienne qui vous apprenait à porter des jupes et à sauter dans tous les sens. Jouer, jouer, jouer, c'est tout ce que tu as fait. Et maintenant à quoi cela va te servir?»

Uma aurait protesté si sa mère n'était pas en train de la malmener, d'essayer d'enfiler jusqu'aux poignets de très petits bracelets sur ses grosses mains; elle lui passa même au doigt son propre petit rubis. Cette bague, Uma l'avait toujours adorée et elle s'efforça de supporter cette torture sans pleurer mais, quand elle vit que son doigt était enflé et bleu, car la bague était trop étroite, elle ne put s'empêcher de se deman-

1. Friandises.

der avec inquiétude comment elle pourrait l'enlever après le thé.

Durant tout ce pénible après-midi, elle essaya de l'arracher de son doigt, ne s'interrompant que lorsque sa mère, assise derrière le plateau du thé, lui faisait les gros yeux, puis elle recommençait avec l'énergie du désespoir. Au début, toute l'attention des visiteurs se porta respectueusement sur la mère, mais quand, ce qui était naturel, les regards se portèrent sur Uma, les mouvements frénétiques de la jeune fille ne purent passer inaperçus. Mrs. Syal, une corpulente jeune femme qui avait examiné attentivement tout ce que portait Uma, déclara enfin : « C'est une jolie bague. »

Uma regarda le rubis comme si elle le voyait pour la première fois ; son visage s'empourpra et dans un souffle elle murmura : « Elle est à ma mère.

— Mrs. Syal, prenez un autre *barfi*, dit maman, qui fit signe à Uma de se lever et de passer de nouveau le plat de *barfis*.

— Mmm, ils sont très bons, dit Mrs. Syal en en prenant un autre et en l'examinant de près. C'est vous qui les avez faits ? demanda-t-elle, la tête penchée sur le *barfi*.

— Oui, oui, c'est l'œuvre d'Uma, dit maman avec un sourire engageant.

— Ils sont excellents, mais mon frère ne mange pas de sucreries.

— Non ? Alors qu'il prenne un *samosa*, qu'il prenne un *samosa*, ils sont très épicés ! », s'écria maman en tendant le plat de *samosas* à Uma pour qu'elle aille en offrir au jeune homme silencieux et impassible, assis dans un grand fauteuil à l'autre bout de la pièce.

Uma, renonçant à tirer sur la bague, s'exécuta, et, si les *samosas* glissèrent les uns sur les autres sur le plat, du moins aucun n'atterrit-il par terre. Elle réussit à traverser tout le salon sans encombre malgré son sari (elle en portait rarement) et à offrir les *samosas* au jeune homme, qui les refusa d'un simple hochement de tête. Depuis qu'il était là, il tortillait un mouchoir dans ses mains et Uma avait remarqué qu'il était sale et déchiré, ce qui l'incita, dans un élan de sympathie, à sourire à son propriétaire, mais ce sourire resta sans réponse.

Les trois invités s'en allèrent enfin ; ils grimpèrent dans la tonga qui attendait devant le portail. En partant, Mrs. Syal dit à maman : « C'était un thé très agréable, très agréable… » Maman lui fit quasiment des courbettes tant elle était reconnaissante. Elle retourna vers ses filles et laissa échapper un long soupir de soulagement. Il ne restait plus qu'à attendre qu'ils rendent l'invitation, leur dit-elle. Mais, malheureusement, celle-ci ne vint jamais et ils n'entendirent plus parler des Syal. À mesure que les semaines passaient, l'espoir diminuait, et finalement maman y renonça tout à fait, souffrant autant qu'Uma lorsqu'on lui avait retiré la bague du doigt. « C'est sans doute qu'Uma ne lui a pas plu », dit-elle avec une amertume dont on ne sut pas vers qui elle était dirigée. Puis un message leur fut apporté par leur voisine, Mrs. Joshi. Elle traversa un jour la haie, ses cheveux épars sur ses épaules car elle les avait lavés le matin et ils n'étaient pas tout à fait secs. « Je viens comme ça », souffla-t-elle en montant sur la véranda, posant à chaque marche une main sur une cuisse, puis sur l'autre, « parce qu'il faut que je vous dise…

— Ce sont les Syal qui vous envoient ? s'écria maman, tout de suite sur le qui-vive. Uma, va chercher du thé pour tante Joshi, ordonna-t-elle précipitamment.

— Non, non, je ne veux pas de thé, c'est mon jour de jeûne. » Mrs. Joshi s'écroula dans un fauteuil de rotin et s'épongea le visage avec le pan de son sari. Elle leva les yeux vers maman, puis vers Uma. «Comment vous expliquer ça? Mrs. Syal est venue hier me voir et... vous savez ce qu'elle m'a dit?

— Quoi donc, quoi donc?» cria maman avec impatience en se balançant avec énergie. Voyant que Mrs. Joshi se mordait les lèvres et se taisait, elle s'inquiéta : «Elle n'a pas aimé notre...?»

Mrs. Joshi se toucha les oreilles pour montrer que ce qu'elle avait entendu l'avait scandalisée. «Aimé, aimé... Qui croyez-vous qu'il a aimé?» Elle se pencha et chuchota à l'oreille de maman : «Aruna. Il voulait que Mrs. Syal demande Aruna en mariage et pas Uma.»

Ulma, debout derrière la balancelle, observait, attendait. Mrs. Joshi la regarda pour voir si elle l'avait entendue. Bien qu'elle ait tendu l'oreille, Uma n'avait pas compris. Maman cria aussitôt : «Aruna? Aruna? C'est *elle* qu'il demande?» et il ne servit à rien que Mrs. Joshi mît un doigt sur sa bouche en lui désignant Uma des yeux.

Uma les regarda avec surprise et s'en alla précipitamment. Maman ne le remarqua pas ou ne s'en soucia pas, elle était trop choquée, trop offensée. «Quoi? C'est ce qu'il a dit? Est-ce qu'il sait quel âge a Aruna? Treize ans! Et il ose demander la plus jeune lorsque nous lui montrons l'aînée? Pour qui nous prend-il?

— Chut, chut, supplia Mrs. Joshi. C'est ce que je leur ai dit. J'ai dit à Mrs. Syal...»

Mais on ne pouvait plus arrêter maman. «Pourquoi nous avez-vous envoyé ces gens-là? Vous pensiez que nous allions marier notre fille dans une famille pareille? Hein?»

Lorsque Uma revint avec des verres d'eau glacée sur un plateau, elle trouva sa mère et Mrs. Joshi en train de se disputer si bruyamment que ni l'une ni l'autre ne firent attention à elle ni à ce qu'elle apportait ; elle posa le plateau et alla dans sa chambre où elle resta toute la matinée à regarder Aruna se mettre du vernis rose sur les ongles des mains et des pieds. Au déjeuner, maman ne souffla mot de l'incident mais garda un silence lugubre, jetant des coups d'œil éloquents à Aruna, tantôt accusateurs, tantôt comme si elle la voyait d'un œil neuf.

À treize ans, Aruna avait encore de maigres jambes brunes, ses cheveux étaient tressés et enroulés en macarons autour de ses oreilles. Elle portait la blouse d'uniforme de l'école en cotonnade bleu pâle et des rubans rigoureusement blancs, mais il y avait déjà quelque chose dans sa façon de rejeter la tête en arrière avec un regard oblique, dédaigneux et moqueur quand elle voyait qu'un homme la remarquait, et dans sa façon de taper du pied et de mettre ses jambes en valeur, qui aurait pu éclairer la famille sur ce à quoi elle devait s'attendre. Maman avait eu beau opposer un refus indigné, elle était également impressionnée et — Uma l'avait bien vu — admirative de l'évident pouvoir de séduction de sa fille cadette.

Lorsque Aruna eut quatorze ans, elle se rebella contre la tunique de coton bleu et les rubans blancs dans les cheveux. Toute occasion lui était bonne pour s'en débarrasser et porter à la place des *salwars*[1] en soie à fleurs. « En soie ! » s'exclamait Uma, et papa, fronçant les sourcils, se redressait pour mieux voir, mais maman avait tendance à être indulgente avec Aruna, comprenant peut-être instinctivement qu'on y avait tout intérêt. Si bien qu'Aruna virevoltait en soie à fleurs,

1. Pantalons bouffants.

et que les rubans furent remplacés par de petites barrettes, des pinces en plastique brillant et par des fleurs qu'elle cueillait sur les haies et les buissons poussiéreux du jardin. Lorsque Uma veillait encore à ce qu'Arun, rampant sur la véranda, ne se rompe pas le cou, ou à ce qu'il ne mette pas d'aiguilles à tricoter ou de boules de naphtaline dans sa bouche, Aruna grimpait déjà dans des cyclopousses pour aller au cinéma. Avec des amies de l'école, disait-elle. Ce qui était tout à fait vrai, mais elle ne parlait pas des jeunes gens qui s'asseyaient derrière les filles, ou même à côté d'elles, et qui, avançant avec émotion un genou, un coude, ou même parfois une main, réussissaient à toucher ces petites créatures troublées et excitées. Ils les suivaient ensuite à bicyclette jusque chez elles, se faufilant dans la circulation et chantant à gorge déployée tout le long du chemin.

Tandis que maman cherchait avec énergie un époux pour Uma, des familles se «renseignaient» déjà sur Aruna. On ne pouvait donner cependant aucune suite à ces travaux d'approche, car il fallait impérativement marier d'abord Uma. C'était la seule ligne de conduite décente, la seule respectable. Ce qui explique pourquoi mamanpapa répondirent avec autant d'empressement à une annonce mise dans un journal du dimanche par une «famille convenable» qui cherchait une épouse pour leur fils unique. Mamanpapa allèrent ensemble voir les parents et découvrirent que le père était un marchand de tissu du bazar qui avait commencé à prospérer et qui se faisait construire une maison en dehors de la ville. La famille avait acquis un grand terrain sur ce qui avait été un marécage que la commune avait asséché avec les ordures de la ville. Il était à présent divisé en lotissements. L'apparition de quelques murs et de portails signalait que le site était en voie d'urbanisation. La famille du marchand avait posé les fondations de ce qui devait être à l'évidence une demeure grandiose en comparaison du domicile étroit qu'elle occupait en ville depuis des générations. Mais, expliqua le père de façon désarmante, ils ne pourraient continuer à construire que lorsqu'ils recevraient quelque argent, et la dot mentionnée par papa se révélait utile. Il se montrait sincère avec papa, mais aussi n'était-ce pas sa fille qui viendrait habiter en jeune mariée dans cette maison? Cette franchise laissa papa perplexe, mais maman était si enchantée à l'idée d'un avenir prospère pour sa fille que rien ne put la retenir. Eux-mêmes n'étaient pas propriétaires de leur maison, papa s'étant toujours refusé à quitter celle qu'il louait et dont il était parfaitement satisfait, frustrant ainsi maman dans son aspiration à devenir propriétaire. Pourquoi Uma ne réaliserait-elle pas ce désir qui lui avait été refusé à elle? La somme convenue fut versée comme dot, et on organisa en même temps la cérémonie des fiançailles.

Uma était vêtue d'un sari neuf en organza rose et eut la permission, pour la première fois, de se mettre du rouge à lèvres. Aruna elle-même fut impressionnée par le résultat et sauta spontanément au cou de sa sœur. À la surprise de tous, le fiancé se révéla tout à fait présentable. Uma ne lui adressa pas la parole, mais les fiancés se regardèrent et Uma put se convaincre qu'il n'était pas entièrement repoussant; elle avait tellement envie qu'il ne le soit pas… Lorsque Aruna, suivant son habitude, commença à faire des remarques désobligeantes, Uma l'interrompit : «Tais-toi, Aruna, tu es trop critique.»

On pensait qu'une fois fiancés les jeunes gens pourraient se rencontrer de temps en temps — après tout, la famille du marchand avait montré un tel désir de quitter le bazar, ses contraintes et ses traditions, et de s'installer dans un quartier tout neuf et, du même coup, dans un mode de vie plus libre, que maman envoya à trois reprises une invitation, qui fut chaque fois refusée. Elle en était déconcertée et faisait part de ses appréhensions à papa, qui prenait un air soucieux mais, considérant que le mariage était l'affaire des femmes, il ne s'en mêlait pas. On n'entendit plus parler du marchand et de sa famille jusqu'au jour où les parents d'Uma allèrent les trouver pour fixer la date du mariage. Le marchand se montra beaucoup moins expansif et cordial que la première fois. Assis par terre sur un drap blanc, jambes croisées, le front fraîchement enduit de poudre rouge car il revenait d'une cérémonie religieuse, il parut médiocrement content de les voir, et les informa brutalement, en pianotant sur ses cuisses, que son fils avait décidé de se rendre à Roorkee pour « poursuivre des études » et qu'il ne souhaitait pas être gêné par un mariage prématuré ; il demandait que la cérémonie soit remise à une date indéterminée. Si cela ne leur convenait pas, ils étaient libres de rompre les fiançailles. Maman en eut le souffle coupé, elle se pressa la poitrine tant elle était choquée, horrifiée. Papa balbutia : « Et la dot ? La dot ? Qu'est-ce que vous faites de *ça* ? » Le marchand prit une position plus confortable, s'appuya sur une pile de polochons blancs, sous l'image de la déesse Lakshmi et un nuage d'encens, et leur déclara que l'argent avait été entièrement dépensé pour la maison. Comment aurait-il pu savoir que son fils allait changer d'avis ? Ce n'était pas ce qu'il avait prévu, mais il n'avait rien changé à ses projets et la dot avait été utilisée pour construire la maison comme il l'avait dit à mamanpapa. Il se dressa brusquement sur son séant et, l'œil mauvais, il les tança : il les avait prévenus, n'est-ce pas ? Il avait poursuivi son projet de bâtir un foyer pour leur fille, mais le destin en avait décidé autrement. Pouvait-on aller contre le destin ?

Hein? Maman, après avoir sangloté toute la nuit, alla chez Mrs. Joshi lui raconter à quel point ils avaient été floués. Mrs. Joshi l'écouta tout en continuant à couper des feuilles de bétel avec ses ciseaux d'argent. «Si vous étiez venue me voir, dit-elle, avant de vous engager dans toute cette affaire, je vous aurais prévenue. La famille Goyal…, tout le monde sait qu'ils ont joué ce tour à d'autres, à la famille Gunga Mull, par exemple. Comment croyez-vous qu'ils ont pu acheter le terrain à Kushinagar? Et commencer à construire une maison aussi élégante? Les Ganga Mull, eux aussi, ont versé une dot et, après, les fiançailles ont été rompues. Ce sont des gens mauvais et sans scrupules. Toute la ville le sait.» Elle jeta un regard sévère à maman. «Vous devriez faire confiance à vos amis, à vos voisins, continua-t-elle d'un ton ferme, regagnant tout le terrain qu'elle avait perdu lors de la débâcle Syal. Après tout, nous sommes là pour vous aider et vous conseiller.

— Mais j'étais si heureuse de trouver quelqu'un pour mon Uma. C'est que sa cousine est déjà mariée, je ne voulais pas attendre plus longtemps, dit maman entre deux sanglots pathétiques.

— C'est bien pour ça que les Goyal peuvent jouer ces tours-là, c'est parce que les parents sont trop pressés. Quel sort terrible attend leur fille s'ils ne prennent pas le temps de se renseigner soigneusement! Soyez reconnaissante qu'Uma ne soit pas entrée dans une famille qui aurait pu la faire mourir par le feu pour se procurer une autre dot!»

Laissant maman suffoquer sous le choc de ces terribles paroles, Mrs. Joshi s'arrêta de couper les feuilles de bétel pour appeler Uma qui était dans le jardin où elle aidait Arun à se tenir en équilibre sur une bicyclette trop grande pour lui. «Uma, ma petite Uma, viens t'asseoir près de tante Joshi. Tu ne m'as pas encore parlé. Raconte-moi ce que tu fais en ce moment, ma chérie. Veux-tu venir en ville demain avec moi acheter de la laine à tricoter ? »

Uma, déconcertée par ces attentions inattendues, resta où elle était ; elle n'avait pas envie de s'approcher de maman et d'entendre évoquer une fois de plus le désastre. Elle se pencha sur Arun avec sollicitude comme s'il s'était coincé un pied dans une pédale. Maman ne fut absolument pas dupe et lui cria par-dessus la rangée de pots de fleurs : « Uma, réponds à tante Joshi ! Tu entends ce qu'elle te demande ? »

## 8

Maman sursaute si brusquement que la balancelle tangue sous elle. «Aré! aré! crie-t-elle. Uma, viens voir, ils sont encore en train de voler les goyaves. Uma! Uma!»

Uma, qui est dans sa chambre, fait la grimace. «Qu'y a-t-il, maman? Je dors, tu sais.

— Pourquoi est-ce que tu dors? Il y a des voleurs dans le jardin, ils volent les goyaves. Aré!» Elle pousse des cris perçants.

«Eh bien, qu'ils volent», grogne Uma, qui se laisse retomber sur son lit. Elle a l'impression d'étouffer sous ses draps, humides de transpiration. Elle se lève enfin avec peine et sort sur la véranda où la lumière la fait cligner des yeux. «Où sont-ils?

— Là, là! Regarde, ils se sauvent, ils ont les mains pleines de goyaves. Où est le mali? Appelle-le, dis-lui de veiller sur le jardin.

— Il doit être en train de dormir, maman, dit Uma d'une voix faible, en bâillant et se grattant la tête.

— Tout le monde dort. Il n'y a que moi qui suis éveillée et qui vois ce qui se passe dans cette maison. Les voleurs nous attaquent, tout le monde vient ici se servir parce que vous dormez tous.

— Il fait si chaud, maman», proteste Uma, qui se traîne languissamment jusqu'à son lit, où elle s'assied, bâillant, tressant ses cheveux et écoutant maman maugréer sur la véranda.

*

Il était arrivé tant de propositions de mariage pour Aruna que le fait qu'Uma ne soit pas mariée était non seulement gênant, mais devenait un obstacle. Aruna mûrissait visiblement sur la branche, attendant d'être cueillie ; elle n'avait pas besoin, elle, qu'on lui apprenne à confectionner des *samosas*, ni qu'on l'aide à se faire belle quand il le fallait. Elle savait cela d'instinct : le sari rose pâle, le fin collier de perles de culture, les fleurs fraîches, le regard modestement baissé, le petit pied dans la sandale rouge tendu brusquement comme une langue, et le rire discret et espiègle… Maman observait et se posait des questions. Papa désapprouvait et bougonnait, mais Uma savait que ce n'était qu'une façade, qu'il dissimulait un plaisir qu'il s'interdisait d'exprimer. Il y avait parfois quelque chose dans son regard qu'il ne contrôlait pas tout à fait et qui le trahissait, ce qui affectait beaucoup maman et la faisait parler sur un ton acide et sévère. Papa avait l'air embarrassé et battait en retraite. Uma ignorait comment elle devait se comporter dans cette situation, et attendait patiemment qu'on dispose de sa personne.

Lorsque Aruna lui dit en riant : «Uma, pourquoi ne te coupes-tu pas les cheveux comme tante Lila ? Ça t'irait bien, tu sais», elle répliqua : «Bah ! Tu en as, de drôles d'idées !» Elle était agacée, mais blessée aussi : le ton moqueur d'Aruna ne lui avait pas échappé. Quand elles étaient plus jeunes, et qu'Uma rapportait à la maison ses carnets de notes marqués de F à l'encre rouge, Aruna regardait en silence papa tempêter et maman gémir, et attendait que s'écoule un intervalle décent avant de présenter son carnet, fort satisfaisant, marqué de bleu et de vert, et elle recevait les compliments des parents. Quand les deux premières tentatives de marier Uma avaient abouti à un échec humiliant, Aruna, entendant les éclats de voix rageurs de maman («Je vous avais bien dit qu'il ne valait rien!»), avait jeté un regard compatissant à Uma. Mais, à présent, son attitude était teintée d'une certaine ironie, d'une sorte de provocation, tel un petit chien plein de vivacité qui, pour faire bouger les choses, harcèle un gros bœuf indolent. Les oreilles d'Uma étaient saturées des lamentations de maman, auxquelles s'ajoutaient les petits aboiements moqueurs et blessants d'Aruna. Si on y avait prêté attention, on aurait remarqué que le visage d'Uma perdait son expression ouverte et enfantine et qu'elle avait l'air constamment préoccupé. Arun, qui ne comprenait vraiment rien à ce qui se passait et n'y jouait aucun rôle, parut percevoir ce changement : il ne la taquina plus autant, fit davantage appel à elle comme à une adulte, mais finit par s'impatienter car elle ne pouvait pas l'aider à faire ses multiplications et divisions, ni à lui lancer la balle pour qu'il s'entraîne au cricket. Mais ses taquineries manquèrent à Uma, ainsi que la sympathie et la solidarité d'Aruna. Le tissu serré de la famille, qui paraissait auparavant si étouffant et contraignant, révélait maintenant des brèches qui faisaient peur. Peut-être ne résisterait-il pas, ne la protégerait-il pas... Il y avait l'exemple de sa cousine Anamika, celle que personne ne voulait voir, mais comment était-ce possible?

Maman se donnait beaucoup de peine pour essayer de caser Uma; elle envoyait sa photo à toutes les personnes qui mettaient une annonce matrimoniale dans les journaux du dimanche, mais celle-ci lui était invariablement retournée avec ce commentaire : « Nous cherchons une personne plus grande/à la peau plus claire/plus instruite, pour Sanju/Pinku/Dimpu. » Pourtant, cette photo, pour laquelle Uma avait posé dans l'atelier du photographe local, perchée sur un tabouret recouvert de velours et devant une balustrade en carton-pâte, avait été soigneusement retouchée ; elle avait été dotée de joues roses et d'yeux quasiment bleus.

Il y eut enfin un homme, quelqu'un de plus très jeune, qui approuva la photo, et jugea le modèle assez bon pour lui. « Il a déjà été marié, mais n'a pas d'enfants, écrivirent ses parents. Il est dans la pharmacie, et a un bon salaire. » On comprit qu'il était voyageur de commerce et qu'il recevait une commission en plus de ses émoluments. « Il a le sens de la famille et de ses responsabilités », ajoutaient-ils, ce qui voulait dire qu'il vivait avec ses parents et toute la famille. Comme il était évident qu'Uma ne recevrait aucune autre proposition malgré le bon parti que le photographe avait tiré de son matériel médiocre, maman et papa décidèrent d'entamer les négociations. La dot offerte par papa, bien que modeste puisqu'il en avait déjà perdu une — il ne cessait de le rappeler aux femmes de la famille —, parut sans doute une aubaine à un homme qui ne s'était peut-être pas attendu à recevoir plus d'une dot dans sa vie. Elle fut acceptée avec empressement.

Puisque la précédente rencontre entre les futurs mariés s'était révélée désastreuse, on décida tacitement que, cette fois, on s'en passerait. Les préparatifs de la noce commencèrent alors. Pendant trois jours d'affilée, maman supervisa fébrilement la confection des repas et des pâtisseries. Papa s'occupa du montage d'une tente sur la pelouse, du prêtre et de tout ce dont celui-ci avait besoin pour la cérémonie et les rites, ainsi que des musiciens qui devaient jouer durant la réception. Uma se trouva riche d'une douzaine de saris neufs, d'une parure en or et d'un rang de perles. Et, le jour du mariage, on la posta à l'entrée de la tente avec une guirlande pour attendre son futur.

Il arriva de sa ville par le train, avec ses frères, ses cousins, son père, tous les membres mâles de sa famille et tous ses amis. À la gare, ils montèrent dans des taxis ou des rickshaws à moteur et, parvenus au bout de la rue, ils furent accueillis par un orchestre de cuivres et le cheval qu'ils avaient loué, une rosse aux pattes grêles, aux genoux cagneux, mais brillamment décorée de guirlandes et de paillettes. Le marié l'enfourcha avec l'aide de ses frères et de ses amis, et se dirigea vers le portail ; la noce dansait et faisait des cabrioles tout le long de la rue, tandis que l'orchestre jouait *Colonel Bogey*.

Uma sentait les tambours et les trompettes résonner jusqu'au plus profond de son être. Ses mains, teintes au henné, toutes tremblantes, tenaient la guirlande. Maman, debout derrière elle, ajustait des fleurs de jasmin dans ses cheveux et Aruna dansait d'un pied sur l'autre, les lèvres rougies par le fard qu'on lui avait enfin permis d'utiliser. Elle criait : « Uma, il arrive, il arrive ! »

Le marié se laissa glisser de son cheval, qui ploya les genoux et faillit tomber. Il s'avança vers Uma avec une guirlande humide et fanée. Ses mains tremblaient aussi un peu. Ses frères, le soutenant de chaque côté, le guidèrent vers Uma, puis soulevèrent le tissu pailleté d'or et d'argent qui lui recouvrait le visage. Il lança un regard morne et peu intéressé à la mariée ; ce qu'il vit ne parut pas le faire changer d'attitude. Il tendit sa guirlande à Uma, qui dut à son tour enrouler la sienne autour de la tête du marié — elle se mordait les lèvres tant il semblait se laisser faire à contrecœur. Cet homme lui parut aussi âgé que papa, enfin presque ; il était très corpulent, et son visage était marqué de petite vérole. Mais ce qui troubla surtout Uma, c'était son air maussade. Il ressemblait tellement à celui de tous les hommes qui la regardaient — qui réagissaient avec exactement la même absence d'enthousiasme — qu'elle renonça à ses espérances absurdes et irréalistes.

C'est dans cet état d'esprit qu'ils participèrent à la longue cérémonie. Uma ne se rappela, par la suite, que la fumée du feu sacrificiel auquel présidait le prêtre, qu'elle recevait en pleine figure (l'ayah, accroupie sur ses talons à côté d'elle, vêtue du sari neuf qu'elle avait reçu pour l'occasion, lui avait chuchoté à l'oreille : « C'est signe qu'il te suivra partout » et, se trouvant très spirituelle, elle avait tapé gaiement dans ses mains, faisant tinter ses nombreux et nouveaux bracelets de verre). Maman la poussa du coude à plusieurs reprises pour l'avertir qu'elle devait jeter du riz ou de l'huile dans le feu, devant lequel le prêtre criait alors à tue-tête : « *Om-swa-ha! Om swa-ha!*[1] » après quoi sa voix n'était de nouveau plus qu'un murmure tandis qu'il récitait d'interminables versets sanskrits qui n'étaient audibles et compréhensibles que pour lui seul. D'ailleurs, personne n'écoutait, en dehors d'Uma et de son époux qui, eux, n'avaient pas le choix. Les invités et la famille s'étaient dispersés dans la tente, buvant des jus de fruit et riant bruyamment. Parfois, quelqu'un s'approchait et s'asseyait à côté d'Uma pour observer la cérémonie. Elle apercevait de temps en temps oncle Bakul et tante Lila, Mrs. Joshi et d'autres invités; elle guettait Ramu, mais son cousin ne vint pas. Il était à sa ferme, dirent ses parents — ils la lui avaient achetée dans l'idée de le retenir de boire, ou était-ce de se droguer? — et personne ne savait s'il avait reçu l'invitation; il était devenu très secret, d'après eux. Et Anamika?

1. Formule d'oblation.

Anamika était avec son mari et ses beaux-parents, ils ne l'avaient pas autorisée à venir. « C'est qu'ils ne veulent pas se séparer d'elle un seul jour, assura tante Lila, ils l'aiment tant... »

La cérémonie continuait à se dérouler avec une solennelle lenteur. Le marié, l'air revêche, finit par intervenir et dire au prêtre d'un ton brusque : « Abrégez, s'il vous plaît, ça suffit comme ça. » Le prêtre eut l'air offensé, Uma fut mortifiée. S'il ne pouvait pas même tolérer la cérémonie nuptiale, comment tolérerait-il leur mariage ?

Quand tout fut fini, son époux l'emmena à la gare — non pas sur son cheval, au grand soulagement d'Uma, mais dans une voiture de location. Toute sa famille attendait déjà sur le quai avec les bagages, les bras chargés des boîtes de friandises que maman leur avait données, et faisant à haute voix des commentaires sur la cérémonie, en particulier sur le banquet qui avait suivi. Uma crut comprendre qu'ils avaient beaucoup de doléances à ce sujet. On la hissa dans un compartiment à quatre couchettes, en compagnie de son mari, de son beau-frère et de sa belle-sœur. Dès qu'ils l'eurent installée sur une banquette, ils se désintéressèrent d'elle, sortirent un paquet de cartes, s'assirent jambes croisées sur la banquette voisine et se mirent à jouer au rami.

Le train roulait avec fracas dans la nuit poussiéreuse, avec de fréquents arrêts dans des gares éclairées violemment par le flamboiement de lampes à vapeur d'essence et grouillant de vendeurs de thé ou de cacahuètes ; puis il repartait dans un bruit de ferraille. Uma essaya au début de rester assise et de demeurer éveillée, mais les fatigues de la journée et le bercement du train firent qu'elle s'affaissa, s'écroula même et s'endormit, sa joue et sa guirlande de fleurs comprimées contre la crasseuse molesquine verte de la banquette. Elle s'éveilla une fois dans l'obscurité — il n'y avait comme seule lumière qu'une veilleuse bleue allumée au plafond — pour se trouver écrasée contre le mur par une forme massive, vêtue de nylon glissant et chargée de nombreux bracelets : c'était sa belle-sœur, qui ronflait avec régularité. Uma dressa la tête, cherchant son mari avec angoisse — elle savait qu'elle ne devait pas le quitter, maman le lui avait dit. Elle vit des monceaux de chair entassés sur les autres couchettes ; l'un d'eux était son mari, se dit-elle, et elle essaya de se rendormir, serrée contre le dos large et gras de sa belle-sœur et suffoquant sous l'odeur de transpiration.

Au lever du jour, ils arrivèrent dans la petite gare, grouillant de monde et au tumulte assourdissant, de la ville où Uma allait vivre désormais. Tous les membres de la noce, pas lavés et bâillant, guère présentables, descendirent du train. Fatigués et de mauvaise humeur, ils grimpèrent dans des tongas et se frayèrent un chemin, à travers les bazars encombrés de cyclopousses et de brouettes, jusqu'à la demeure familiale, une maison basse, peinte en jaune, qui se trouvait dans une ruelle où des vaches mâchonnaient des ordures et où des chiens furetaient en grondant. Uma fut alors remise aux femmes de la famille de son mari : la mère, d'aspect dur, les dents serrées sur une noix de bétel, qui l'examina avec de petits yeux rusés, les belles-sœurs et leurs enfants. Quand il eut montré à Uma sa chambre, qui donnait dans la cuisine, et déposé sur le sol la malle renfermant ses affaires — les autres malles contenant ce que maman avait acheté pour la maison devaient suivre plus tard —, le mari marmotta : « Tu peux te reposer. Moi, je vais travailler.

— Travailler ? » demanda Uma avec surprise, car le mariage était un événement, des vacances en quelque sorte, et elle ne s'était pas attendue qu'elles prennent fin aussi brusquement.

Il hocha la tête et marmotta quelque chose comme «À Meerut», puis il disparut.

Uma s'assit sur le lit : un sommier de corde, la literie roulée à un bout. Il n'y avait pas de sièges. Une ficelle traversait la pièce où étaient suspendus quelques vêtements, des vêtements d'homme — ceux de son mari, se dit-elle, détournant les yeux des pyjamas et des caleçons à rayures. Il n'y avait rien d'autre à regarder.

Au bout de quelques minutes apparurent les femmes de la famille : une sœur d'abord, puis une autre, puis les enfants et enfin la mère. Elles firent cercle autour d'Uma et la regardèrent avec curiosité, échangeant des commentaires sur son teint, ses cheveux, ses bijoux, son sari, la taille de ses mains et de ses pieds. Certaines lui prirent la main pour regarder sa bague, ses bracelets, les dessins au henné. Puis une des sœurs se posta à côté de la malle. «Ouvre-la», dit-elle. Uma se leva et alla s'agenouiller devant la malle pour ouvrir la serrure ; elle vit que ses mains tremblaient de nouveau. Toutes s'approchèrent, se pressèrent contre elle pour examiner le contenu de la malle, faisant des remarques sur ses saris, ses bijoux, le flacon de parfum *Soir de Paris,* cadeau d'Aruna, sans lui adresser un seul mot. Enfin, l'une après l'autre elles se retirèrent dans la cuisine ; la dernière à sortir tourna la tête vers elle et lui lança : «Change-toi et viens. Il faut préparer le repas, maintenant. »

Uma se changea, désagréablement consciente de leur présence de l'autre côté de la porte ; elle n'avait pas osé la fermer, ni la verrouiller. Vêtue d'un de ses nouveaux saris de cotonnade, elle les rejoignit dans la cuisine avec l'espoir qu'elles lui parleraient, lui poseraient des questions, qu'elles allaient enfin communiquer avec elle. Mais, bien qu'elles lui aient indiqué ce qu'elle avait à faire, hacher les oignons, éplucher les légumes, trier les lentilles et laver le riz, ce qu'elle fit avec gaucherie et maladresse car elle n'était pas habituée à travailler accroupie et n'avait d'ailleurs pas beaucoup d'expérience de ce genre de tâche, elles continuèrent à se parler entre elles à mi-voix, mais assez fort pour qu'Uma entende leurs remarques sur sa maladresse, sa gaucherie, ses vêtements, son apparence. Elle comprit qu'elle ne leur avait pas fait bonne impression, et continua à accomplir sa tâche, la tête enfouie dans son sari, le visage en feu...

Quand les hommes rentrèrent du travail, eux aussi la scrutèrent silencieusement en s'installant pour manger. Uma fut étonnée que Harish ne soit pas parmi eux. Elle n'osa pas leur demander où il était, de peur de ne pas recevoir de réponse. Lorsqu'elle eut aidé les femmes à laver la vaisselle dans un coin de la cuisine, sous un robinet dont le jet l'éclaboussa au point qu'elle fut complètement trempée, elle se retira dans sa chambre, pensant qu'il rentrerait plus tard, qu'il faisait des heures supplémentaires pour rattraper le temps passé à la noce. Elle resta éveillée toute la nuit sur le lit de corde, écoutant le robinet de la cuisine qui gouttait — il était enveloppé d'un chiffon et l'eau en coulait continuellement —, les chiens errants qui geignaient dans la ruelle, la toux et les conversations dans les autres chambres. Quand apparut la lumière grise de l'aube, son mari n'était toujours pas là; elle se leva et alla à la cuisine, la gorge nouée d'inquiétude, pour demander de ses nouvelles.

Sa belle-mère préparait le thé dans une grande casserole, faisant bouillir en même temps le lait, les feuilles de thé et le sucre. «Il ne vous l'a pas dit? Il est à Meerut», dit-elle d'un ton acerbe et, pensa Uma, méprisant.

Pendant plusieurs semaines, Uma écrivit à sa famille que Harish était à Meerut pour son travail et n'était pas revenu. Durant ce temps, elle apprit à couper les légumes en morceaux bien réguliers, à broyer les épices jusqu'à ce qu'elles deviennent une pâte humide et à distinguer une lentille d'une autre. Les seules paroles qu'on lui adressait étaient des instructions.

Puis, un beau jour, survint papa. Uma, bouche bée de stupeur et alarmée de le voir entrer comme un ouragan dans la maison, courut vers lui, craignant qu'il n'apporte de mauvaises nouvelles. Elles étaient mauvaises, mais tout à fait inattendues : papa avait appris qu'on les avait dupés. Harish était déjà marié, il avait femme et enfants à Meerut, où il dirigeait une fabrique pharmaceutique en déconfiture ; pour la sauver, il lui fallait une nouvelle dot, et il avait donc décidé de contracter un second mariage.

La scène qui suivit fut à coup sûr exceptionnelle et mémorable. La seule réaction d'Uma fut de fermer les yeux et se boucher les oreilles — elle s'était enfuie dans sa chambre, s'était enfermée, assise sur le lit, et recouvert la tête de son sari pour ne rien voir et ne rien entendre. Elle s'arrêta même de penser pour barrer le passage à un souvenir avec lequel elle ne pourrait pas vivre à l'avenir. D'un côté, papa tempêtait et vociférait, de l'autre, sa belle-mère hurlait et poussait des cris stridents et, entre les deux, les beaux-frères braillaient et menaçaient, tandis que les belles-sœurs, blotties l'une contre l'autre, observaient les deux camps avec une sorte d'amère satisfaction.

Uma rentra donc à la maison avec papa. Refaire, de jour, le même trajet en train, c'était comme si tout se déroulait en sens inverse. Cette fois, le compartiment était plein d'inconnus, mais papa ne se contrôlait plus, il n'était plus maître de lui, à tel point qu'il ne se comportait plus normalement ni de façon raisonnable : il se cognait la tête de ses poings, gémissait à haute voix sur la perte de la dot et les dépenses du mariage devant tous les voyageurs, des femmes avec des bébés et des paniers de provisions, des hommes lisant le journal, jouant aux cartes ou discutant. Ils se tournèrent vers lui pour l'écouter avec le plus grand intérêt, jetant des regards entendus à Uma, qui s'efforçait de dissimuler sa honte en gardant la tête cachée sous son sari. Quand ils arrrivèrent à leur destination, tout le monde était au courant de son humiliation, de son effondrement. Heureusement, il n'y avait pas parmi eux les avocats ou les magistrats que papa rencontrait ordinairement : il aurait été honteux de son absence de maîtrise de soi, honteux de révéler sa crédulité. Il lui fallait se reprendre avant de retourner à son cercle habituel, à sa routine normale. Dès qu'ils posèrent le pied sur le quai de la gare, qui leur parut vaste, bien tenue et civilisée en comparaison de celles qu'ils avaient traversées (des ventilateurs électriques pendaient des hauts plafonds, des magazines et des livres de poche étaient alignés sur les rayons du kiosque à journaux), papa redevint muet, et reprit son apparence lugubre coutumière. Ce fut un soulagement pour Uma : la désintégration de la personnalité de son père l'avait autant fait souffrir que celle de son mariage.

À la maison, maman ouvrit une à une les malles que papa avait ordonné à Uma de préparer et d'emporter, et vérifia tout ce qu'elles contenaient. Papa avait réussi à récupérer les bijoux en menaçant les beaux-parents de poursuites judiciaires — oh, quelle erreur ceux-ci avaient commise d'avoir choisi une épouse dans une famille de magistrats, une famille instruite ! Mais il aurait été trop humiliant de se battre pour chaque ustensile de cuisine apporté par Uma, et, se lamentait maman, cela représentait une grosse perte. Tandis que se jouait cette scène au centre, au cœur de la famille et de la maisonnée, Arun s'en était éloigné le plus possible, et était allé se cacher dans sa chambre sous un monceau de bandes dessinées. Eût-on pénétré chez lui qu'on aurait trouvé à sa place le capitaine Marvel, Superman et Phantom.

Cette nuit-là, dans l'obscurité et le silence, Aruna murmura à l'oreille de sa sœur : «Uma. Uma. Est-ce qu'il… Est-ce qu'il t'a touchée?» Uma enfouit sa tête dans son oreiller et cria : «Non! Non!» Aruna retomba sur son lit avec un petit soupir de déception. Le lendemain, elle rapporta cette information à l'ayah qui, à son tour, la rapporta à maman. Toutes les deux parurent soulagées d'un grand poids.

Le mariage fut, d'une manière ou d'une autre, rompu, annulé. Uma ne fut jamais tenue au courant des poursuites légales engagées; il était entendu qu'elle n'y comprendrait rien, si bien qu'elle ne sut jamais exactement si elle avait été vraiment mariée ou si elle était effectivement divorcée. Divorcée. Quelle résonance scandaleuse avait ce mot! Elle pouvait à peine se résoudre à le prononcer. Le jour où elle interrogea maman, avec hésitation, mais poussée par une irrésistible curiosité, celle-ci fit un geste en l'air comme pour attraper un moustique et répliqua d'un ton brusque : «Ne me parle pas de ça! Ne m'y fais plus penser!»

Après qu'elle eut coûté deux dots à ses parents sans un seul mariage en échange, on considéra qu'Uma était née sous une mauvaise étoile, et on n'essaya plus de la marier.

Uma surprit un jour maman qui disait à Mira-masi, alors en visite à la maison : «Tous ces astrologues que nous avons consultés sur son horoscope, quels menteurs!» Ce qui lui attira cette réponse : «Ce n'est pas chez les astrologues que vous auriez dû l'emmener, mais devant le Seigneur Shiva, pour Lui demander Sa bénédiction.

— Vous croyez qu'Il la lui aurait accordée, à elle ?» s'écria maman. Mira-masi la regarda sévèrement et Uma l'entendit répliquer avec une grande dignité : «Elle *a* la bénédiction du Seigneur. Il a rejeté les hommes que vous aviez choisis pour elle, parce qu'Il l'a choisie pour Lui.»

Abasourdie, Uma se sauva sous l'ombre épaisse du margousier qui surplombait la véranda; c'est là que les deux femmes s'entretenaient, tandis que papa était allé se coucher (il ne supportait pas ce genre de conversation). La pensée que le Seigneur Shiva la choisissait ne lui était pas plus agréable que le souvenir de tous les hommes qui l'avaient fuie. Le Seigneur Shiva était peut-être un époux acceptable pour Mira-masi, mais, même Lui, du moins sous la forme de la statuette en cuivre qu'on avait volée à sa tante, s'était révélé insaisissable. Elle aurait voulu le faire remarquer à Mira-masi et à maman, leur dire : «Vous voyez? Ce n'est pas si facile…», mais à la vue de sa mère et de sa tante assises côte à côte sans parler, plongées dans de sombres pensées, dont les silhouettes mélancoliques se profilaient en noir sur le mur, Uma comprit qu'elle n'avait pas eu leur expérience, que la sienne était tout autre : c'était celle d'une exclue de l'univers du mariage, qui était, comme le laissaient entendre tous les murmures, les chuchotements, les conciliabules, la seule chose importante dans la vie.

Elle se réfugia dans sa chambre, s'écroula par terre et, assise contre le mur, les bras autour de ses genoux, elle songea à ce que cela aurait pu être d'avoir le Seigneur Shiva pour époux, d'être prise dans Ses bras. «Est-ce qu'il t'a touchée?» avait voulu savoir Aruna. Non, avait-elle répondu, et, assise dans le noir, Uma essaya d'imaginer ce que cela aurait été s'il l'avait touchée.

# 9

Uma est toute seule. Mamanpapa sont allés au club jouer au bridge. Elle a dîné sur un plateau que le cuisinier, qui est rentré chez lui de bonne heure, a déposé pour elle sur la table de la véranda. Lorsqu'elle a fini de manger, elle va dans sa chambre, regarde autour d'elle, cherchant quelque chose à faire qu'elle ne peut pas faire quand mamanpapa sont à la maison puisqu'ils ont besoin d'elle à tout instant. Elle ouvre son armoire, fredonnant d'un air songeur tout en examinant ses saris bien pliés, ses boîtes pleines de bracelets de verre assortis, ses mouchoirs bordés de dentelle. Elle sait, bien sûr, ce qu'elle cherche, et attrape en haut de l'armoire un carton à chaussures rempli de vieilles cartes de Noël. La collection est devenue assez importante au cours des ans. Elle pose le carton sur son lit, s'accroupit à côté, et regarde une à une les cartes que lui ont gardées Mrs. O'Henry, l'épouse du missionnaire baptiste, mère Agnès, les amis et les voisins. Elle promène ses doigts sur les croix dorées et les poinsettias en relief, tapote les bouts de ruban et de dentelle, parcourt les joyeuses petites poésies qui la font sourire tant elles sont affectueuses et rayonnantes de bienveillance et d'amitié. Elle les ficelle de nouveau ensemble et les range soigneusement

comme un trésor — ce qu'elles sont effectivement. Si quelqu'un venait à les toucher, leur charme magique s'évanoui-
rait. C'est sa conviction.

Elle erre dans la maison obscure et un peu lugubre ; quand
mamanpapa ne sont pas là, on éteint, pour économiser l'électricité, toutes les lumières, sauf une seule, de très faible vol-
tage ; Uma y voit juste assez pour passer entre les meubles
massifs et sombres. Elle s'arrête devant une table à trois pieds
où est posé le téléphone, soulève l'écouteur, le tapote en
chantonnant. Puis ses doigts se posent sur les chiffres du
cadran et elle compose un numéro. Le téléphone sonne dans
une autre maison, également obscure. Uma se mord les lèvres
en pensant à son audace, à sa duplicité. Mais il lui est impossible de téléphoner quand mamanpapa sont là, leur curiosité
avide, leur désapprobation l'en dissuaderaient.

On répond enfin à la sonnerie du téléphone. Le visage
d'Uma s'assombrit ; c'est le domestique qui répond.
«O'Henry Memsahib est-elle là?», demande-t-elle. Elle a
peur que papa ne surgisse de l'ombre, l'attrape par l'épaule
et lui reproche sa sournoiserie, ou lui demande de payer la
communication. Courir tous ces risques pour entendre le
domestique dire d'une voix maussade et endormie que non,
elle n'est pas chez elle... « Mais où est-elle allée ? » s'écrie Uma
en reposant violemment l'écouteur. Les meubles se dressent
autour d'elle, menaçants ; elle passe devant eux et sort sur la
véranda.

Dehors, au moins, il fait plus clair, et l'air, tout immobile
qu'il soit, donne une impression de liberté. Tout en haut des
arbres poussiéreux, on voit la nouvelle lune, très pâle et lointaine. Au bas des marches, le buisson de jasmin est en fleur
et dégage en volutes blanches son parfum dans la nuit. Elle
cueille une fleur et, la gardant dans le creux de la main, va

s'asseoir sur la balancelle qu'elle met en mouvement d'un léger coup de pied. Elle fredonne la mélodie d'un film que des voisins l'ont emmenée voir un jour : « *Doux, doux rayon de lune...* » Elle imite l'héroïne, qui chantait dans un jardin crûment éclairé par une lune électrique, et où des roses en papier étaient accrochées à un treillis en carton-pâte. « *Pâle, pâle rayon de lune...* », chante-t-elle à la fleur qui est dans le creux de sa main.

Les phares de la voiture apparaissent alors au portail comme deux yeux blancs et inquisiteurs : mamanpapa sont de retour. Uma se lève brusquement et retourne dans sa chambre. Lorsque les parents montent les marches de la véranda, la balancelle est encore en mouvement, grinçant d'avant en arrière, comme si un fantôme y avait pris place.

Maman va cogner à la porte d'Uma. «Uma, Uma, nous sommes là. »

Uma est debout de l'autre côté de la porte, elle tient la fleur blanche dans sa main, se mord les lèvres et ne répond pas.

Maman cogne et tambourine pendant un moment, puis renonce. Uma l'entend se diriger vers sa chambre en grommelant : «Elle dort déjà, elle dort toujours... »

*

Personne n'en fut surpris, mais tout le monde fut satisfait lorsque Aruna réussit à se marier, alors qu'Uma avait échoué lamentablement. Comme on pouvait s'y attendre, elle avait pris son temps, hésité à se décider, fait la difficile, mais avait fini par opter pour le choix le plus sage, le plus judicieux, en la personne du plus beau, du plus riche, du plus attirant des candidats qui s'étaient présentés. De fait, l'aspect sombre et mélancolique de ce jeune homme, la courbe sinueuse de ses lèvres, la façon dont ses favoris descendaient jusqu'à son menton, le brillant avenir qu'on lui prédisait, étaient justement si fascinants que mamanpapa en furent un peu perturbés. Prudents, ils auraient souhaité quelqu'un d'un peu moins séduisant et moins voyant — il faut dire qu'eux ne l'étaient guère —, et recommandèrent la circonspection, proposant d'attendre de voir qui d'autre se présenterait. Mais, quand Aruna avait pris une décision, personne ne pouvait l'en détourner, et elle avait imposé sa volonté.

La noce fut splendide — rien à voir avec le mariage au rabais et morne de sa sœur. Aruna avait insisté pour que la réception ait lieu dans le salon de l'hôtel Carlton. Au lieu d'un orchestre de cuivres du bazar, elle avait obtenu que l'orchestre de Tiny Lopez joue de la musique de danse. Et, par-dessus le marché, elle avait persuadé papa de donner ce qu'elle appelait un cocktail pour accueillir Arvind et sa famille la veille du mariage. Ce devait être un événement si élégant, et si moderne, qu'on n'en aurait jamais vu de pareil dans la ville, du moins au dire des proches. Malheureusement, Uma l'avait considérablement gâché à cause de sa tendance navrante, acquise, ils en étaient tous certains, pendant son séjour à l'ashram avec Mira-masi, à avoir des «crises». Les invités évoluaient, en élégant sari de crêpe de Chine ou en *sherwani*[1], l'air était lourd des senteurs de tubéreuses et de whisky, quand soudain Uma, qu'on avait envoyée chercher un nouveau plateau de canapés, resta figée, toute raide, le regard fixe, avec son plateau vide dans les mains. Lorsque maman la poussa légèrement du coude pour la réveiller et la presser de se dépêcher, elle chavira comme si elle avait été

1. Longue tunique portée par les hommes.

frappée par une hache et s'effondra lourdement aux pieds des invités, s'arrangeant pour se cogner la tête contre le plateau métallique et s'ouvrir le front de façon spectaculaire. Quand on accourut pour l'aider à se relever, elle se mit à se rouler sur le sol comme elle l'avait fait à l'ashram, les yeux vides, les dents serrées, agitant les épaules et tapant frénétiquement des talons — c'est ce qu'on lui dit par la suite. On alla chercher le docteur Dutt en toute hâte, à l'autre bout de la tente ; elle accourut, fourra un mouchoir dans la bouche d'Uma pour l'empêcher de se mordre la langue, lui baigna le visage avec un verre d'eau froide, puis la fit transporter dans sa chambre, le tout si rapidement et efficacement que nombreux furent ceux qui ne se rendirent même pas compte de l'incident.

Le soir, Uma, assise sur son lit, essaya de se représenter cette scène effrayante dont elle n'avait aucun souvenir. Elle entendait la voix cinglante d'Aruna lui assener des reproches : elle avait gâché la soirée, le cocktail... Qu'est-ce que la famille d'Arvind penserait d'eux, et d'elle-même qui avait une sœur idiote, hystérique ? Elle devrait être bouclée, enfermée, sanglotait Aruna. « Je devrais être enfermé, gémissait Uma à l'unisson. Enfermez-moi, maman, enfermez-moi ! » Elles hurlèrent ensemble jusqu'à ce que maman entre dans la pièce, toutes voiles dehors. « Qu'est-ce qui se passe ici ? Va dormir, Aruna. Calme-toi, Uma. Je ne veux plus entendre un seul mot. Demain, il y a le mariage, et j'ai déjà assez de problèmes comme ça. Calmez-vous et allez au lit, toutes les deux. » Uma, obéissante, se recoucha mais ne put retenir un autre gémissement : « Oh, maman, je vous en prie ! » tandis qu'Aruna la menaçait d'une voix stridente : « Je te défends de recommencer ça au mariage, je te le défends ! »

Uma ne recommença pas et la noce fut aussi élégante que l'avait prévue Aruna ; la cérémonie elle-même fut brève, et se distingua surtout par le sari et les bijoux raffinés d'Aruna et le turban de maharajah du marié. Oncle Bakul et tante Lila approuvèrent ; toutefois, tante Lila soupira : « Si seulement Anamika avait pu venir, mais cette famille ne veut pas se séparer d'elle... », et elle soupira encore. Personne ne mentionna Ramu ; on le considérait comme infréquentable, et on ne lui avait pas envoyé d'invitation.

L'hôtel Carlton fournit le dîner et, si certains membres de la famille refusèrent de toucher à une nourriture préparée par on ne savait quels cuisiniers de basse caste dans on ne savait quelle cuisine impure, la plupart des invités furent profondément impressionnés et reconnaissants, ce qu'ils témoignèrent avec effusion lors de leur départ. Papa fut ainsi un peu dédommagé de ces dépenses extravagantes. Quant au docteur Dutt, tout ce qu'elle trouva à dire aux parents fut : « Comment va notre chère Uma ? Je suis heureuse de voir qu'elle semble un peu mieux aujourd'hui, néanmoins je crois qu'elle a besoin d'un fortifiant », mais elle était connue pour la brusquerie de ses manières et on l'excusa car elle était médecin.

Ainsi, Aruna disparut pour entrer dans une existence dont elle avait dit qu'elle serait « fabuleuse » et qui le fut. Arvind avait un job à Bombay et il acheta un appartement dans un immeuble de Juhu, au-dessus de la plage — « Un rêve », disait Aruna. C'étaient les mots qui revenaient dans ses lettres, des mots qui n'avaient pas cours dans leur ville, soit qu'on ne les connût pas, soit que rien dans cette ville ne les justifiât. Mais ces mots et leur usage parurent hausser Aruna à un niveau différent, distant et éthéré, à l'image de ce que devait être, dans l'esprit d'Uma, cet appartement avec vue sur la mer. Elle se demandait si elle le verrait un jour. Aruna était si occupée, soit à rendre visite à la famille d'Arvind à Ahmedabad, soit à recevoir celle-ci à Bombay, qu'apparemment ce n'était jamais le moment de recevoir mamanpapa, ou Uma toute seule. Elle venait les voir de temps à autre. Elle revint même, comme le voulait la coutume, pour la naissance de son premier enfant, mais le deuxième naquit dans une clinique moderne de Bombay, car Aruna ne supportait pas l'idée de renouveler la première expérience. Maman suppliait souvent papa de lui écrire pour l'inviter à venir avec ses enfants, mais le style épistolaire de papa, sec et solennel, ne traduisait pas de sentiments familiaux suffisamment chaleureux, et Aruna ne venait que de loin en loin, de sorte qu'à chaque visite les enfants étaient de nouveau des étrangers méconnaissables.

Les premières visites terrifièrent Uma car elle était sûre de ne pas savoir comment s'y prendre avec des enfants aussi petits et précieux. Aruna les lui confiait sans hésiter, estimant évidemment que leur tante célibataire pouvait s'en occuper. N'avait-elle pas aidé à élever Arun? Oui, mais Uma n'osait expliquer qu'on pouvait s'occuper d'un enfant de sa propre famille, mais que c'était tout à fait autre chose que de prendre soin des bébés d'Aruna aux vêtements coûteux et incommodes et de leur donner des biberons de ce lait étrange, « maternisé ». Lorsque Aruna lui demandait avec insouciance de leur donner leur bain, elle n'osait les plonger dans la cuvette d'eau qu'on avait préparée tant elle était persuadée qu'ils lui glisseraient des mains et se noieraient. Elle se contentait de les essuyer avec une serviette humide et les rendait à leur mère en prétendant qu'elle les avait baignés. Aruna ne remarquait rien; elle était sortie la plupart du temps; elle allait voir ses amies, et leur montrait ses achats de Bombay.

Lors d'une de ces visites, Uma entra dans sa chambre et trouva Aruna assise devant le miroir, en train de se maquiller. Elle s'approcha pour l'observer et Aruna lui fit une démonstration : « Tu vois, ça, c'est pour les paupières, ça, pour les cils, et ça, pour dessiner le contour des yeux. Tu mets d'abord cette crème sur la figure, et puis cette lotion, et enfin la poudre et juste une toute, toute petite touche de fard, de celui-ci, ou peut-être de celui-là… » Uma avait dans les bras une pile de couches lavées et pliées ; au bout d'un moment, elle s'impatienta : « Alors, tu te mets tout ça sur la figure ! dit-elle. Nous nous demandions justement… »

Aruna referma sa trousse de maquillage d'un geste brusque. « Oui, c'est ce que mettent les femmes, à Bombay. Elles ne se promènent pas en ayant l'air d'être des blanchisseuses si elles n'en sont pas. Maintenant c'est *toi* qui vas t'asseoir ici, sur la chaise, et tu vas me laisser essayer de t'arranger. Pourquoi est-ce que tu te coiffes encore avec une queue de cheval comme une écolière ? Laisse-moi te la couper… »

Uma poussa un cri et courut à la porte en riant. « Me couper les cheveux, mais c'est impossible ! Maman me tuerait…

— Maman ne te tuera pas. Moi, je les ai coupés et je suis encore là. »

Uma avait fui, tenant fermement sa queue de cheval, et semant toutes les couches sur son chemin. Avoir les cheveux courts comme une actrice de cinéma lui paraissait risible. Mais, un peu plus tard, elle taquina sa mère. « Et si je me coupais les cheveux, comme Aruna ?

— Te couper les cheveux ? Tu as envie d'avoir l'air d'une… » Maman ne prononçait pas le mot, préférant le suggérer seulement. « Tu veux que les voisins disent que tu es devenue une… »

Aruna, exaspérée, sortit de la pièce en ricanant : « Vous autres, vous n'êtes que des paysans ! »

Uma tourna rapidement la situation à son avantage. « Elle voulait que je me les coupe, confia-t-elle perfidement. C'est à Bombay qu'elle a pris toutes ces idées. Elle va peut-être même essayer de vous convaincre de vous les couper aussi, maman!»

Gloussant de rire, maman et Uma s'écroulèrent l'une contre l'autre sur la balancelle.

Lorsque sa fille fut un peu plus âgée, Aruna put exercer ses nouveaux talents sur elle, lui boucler les cheveux, lui dessiner des robes. Aisha avait l'air d'une poupée, mais elle était capable de piquer d'effrayantes crises de colère, de jeter contre les murs ce qu'elle avait sous la main, de donner des coups de pied, et de hurler de rage si on lui suggérait de boire son lait ou d'aller se laver les mains. Maman et Uma étaient impressionnées par la violence que cette petite créature pouvait contenir et manifester. Mais, quand la scène était finie, elle devenait tout à fait docile et s'asseyait sur le lit d'Uma pour explorer la boîte de bracelets ou les cartes de Noël — sa tante ne pouvait alors s'empêcher de la surveiller avec inquiétude — qui sait si elle n'allait pas en déchirer ou les jeter toutes par terre?

Mais c'était pourtant Dinesh qui les préoccupait le plus, bien qu'à première vue il fût beaucoup plus accommodant. Il passait presque toute la journée à regarder la collection de bandes dessinées américaines de son jeune oncle Arun; il lisait, la bouche ouverte et les cheveux sur les yeux. Il ne bougeait et ne reprenait vie que lorsqu'il avait parcouru tous les albums et qu'il ne lui en restait plus un seul à lire. Il fallait alors l'emmener au bazar et en acheter d'autres. Quand Arun rentrait de l'école, il rassemblait les siens et les rangeait hors de la portée de Dinesh.

Le fusil à air comprimé était encore un autre problème. Papa l'avait acheté pour Arun, qui ne s'en servait jamais.

Dinesh l'avait trouvé dans un placard, derrière un tas de vieilles chaussures, et s'était montré très intéressé. Arun refusa tout net de lui montrer comment s'en servir, mais, un après-midi, Uma fut réveillée de sa sieste par des crépitements, des bruits de détonation venant de la pièce voisine. Elle se leva pour aller voir ce qui se passait et trouva Dinesh debout, le fusil à la main, contemplant un pigeon sur lequel il avait tiré et qui était tombé du rebord de la lucarne et gisait mainte-nant par terre, agonisant, dans un enchevêtrement de plumes sanguinolentes. L'oiseau n'était pas encore assez atteint pour mourir et faisait de vains efforts pour redresser ses ailes et se remettre sur ses pattes. Cependant, la façon dont son bec pendait et dont ses yeux étaient exorbités ne semblait pas de bon augure; aveuglé, il tournait sur lui-même en tibubant. Uma cria : «Achève-le, Dinesh, vite, tue-le, je t'en prie!» Dinesh observait l'oiseau avec une curieuse expression sur son visage empourpré; il se lécha les lèvres, puis sourit à Uma d'un sourire qui l'effraya. Elle cria jusqu'à ce qu'il s'exécute. Il fut enchanté, ensuite, de raconter à sa mère furieuse et à sa grand-mère consternée que c'était Uma qui lui avait ordonné de tuer le pigeon. «Elle m'a dit de le tuer», répéta-t-il avec plaisir, voyant que le visage d'Uma pâlissait chaque fois de colère.

C'est avec appréhension qu'Uma attendit la visite suivante de Dinesh, mais, cette fois, le jeune garçon se montra moins déplaisant, peut-être parce qu'il ne restait que très peu à la maison. Elle remarqua qu'il se glissait souvent, furtivement, sous les goyaviers et passait chez les voisins par le trou de la haie. Il n'y avait aucune raison de s'inquiéter si ce n'est qu'il n'y avait pas d'enfants de son âge dans la famille d'à côté et qu'on se demandait ce qui l'attirait là. Mrs. Joshi, interrogée discrètement, eut l'air étonné, car elle n'avait jamais vu Dinesh à proximité de chez elle.

Puis, un jour, Uma aperçut Dinesh à travers le feuillage poussiéreux des goyaviers aux branches pâles et tordues, derrière le garage des voisins, en compagnie du jeune fils du chauffeur. Penchée sur la balustrade de la véranda, elle avait écarquillé les yeux pour voir ce qu'ils étaient en train de faire, mais elle était trop myope. Une autre fois, elle vit le fils du chauffeur pédaler en rond, à bicyclette, avec Dinesh à califourchon sur son cadre ; tous deux se tenaient serrés l'un contre l'autre et riaient à gorge déployée. Cette scène paraissait assez inoffensive, mais Dinesh était assez grand pour pédaler tout seul et n'avait pas besoin de se faire transporter.

Le même soir, sur la véranda, Uma fit allusion, devant Dinesh, à Panna, le fils du chauffeur. Son neveu la regarda du coin de l'œil, puis ébouriffa ses cheveux, qui retombèrent sur son front. Papa fronça les sourcils : il n'avait jamais permis à ses propres enfants de jouer avec ceux des domestiques, c'était un principe chez lui, et Arun n'avait jamais joué avec Panna. Là-dessus, Dinesh quitta la pièce en traînant les pieds. On n'en parla plus, et il continua à passer son temps en compagnie de Panna, mais sans qu'on le voie. Si quelqu'un les surprenait, les deux garçons prenaient un air habilement inexpressif et innocent, et dès qu'ils étaient de nouveau seuls on les entendait éclater de rire. Maman n'insista pas pour que Dinesh revienne les voir.

Uma eut un jour l'occasion de rendre visite à Aruna, à Bombay. Du moins, son oculiste, examinant sa vue, lui dit d'un ton solennel : « Il y a quelque chose là qu'il faudrait examiner plus soigneusement, mais je ne peux pas faire ça ici », et d'un geste il montra sa petite clinique de bazar, la foule des patients assis sur des bancs le long des murs, les chiens errants et les camelots se pressant à la porte. « Il faut vraiment que vous consultiez un spécialiste. Voyez si vous pourriez en voir un à Bombay. » Uma, follement excitée à cette idée, courut à la maison pour annoncer la nouvelle à papa, dont le front s'assombrit visiblement et qui s'affala sur la balancelle dans un silence morose. Maman dut lui répéter ce qu'Uma venait de lui dire. Il se râcla la gorge. « Bah, inutile, inutile, dit-il d'une voix rauque. Pourquoi gaspiller de l'argent pour aller à Bombay ? Notre oculiste est bien suffisant, bien suffisant. Tout à fait inutile d'aller à Bombay. »

Aruna amena une fois sa belle-mère et d'autres parentes d'Arvind désireuses de se baigner dans le fleuve sacré. L'atmosphère fut très tendue pendant cette visite : Aruna exigea que maman et Uma fassent astiquer à fond la maison, vieille et croulante, pour la rendre présentable et accueillir dignement ses hôtes — et que sa famille lui fasse honneur. Elle passa son temps à siffler à l'oreille d'Uma : « Tu ne pourrais pas mettre une nappe *propre* ? Tu ne vois pas que celle-là est pleine de taches ? » Ou bien elle suivait maman jusque dans son cabinet de toilette pour se plaindre : « Pourquoi vous êtes-vous lavé les cheveux au beau milieu de la matinée ? Vous n'auriez pas pu le faire le soir au lieu de rester devant tout le monde avec les cheveux défaits ? Ça fait si *négligé* ! » Ou bien elle se précipitait à la cuisine pour montrer au cuisinier comment préparer une salade. « Il se contente de couper en tranches des tomates, des concombres et des oignons et de les flanquer sur un plat, sans *assaisonnement* ! » Quant à Arun, elle regardait d'un air horrifié son short kaki qui lui tombait sur les genoux, ses chaussures de gymnastique délacées, ses cheveux non peignés lui recouvrant le front ; découragée, elle levait les yeux au ciel d'un air dramatique ; elle n'arrivait pas à croire qu'il pouvait vivre ainsi, et préférait faire comme s'il n'existait pas — ce qui convenait fort bien à son frère. Papa lui-même, dont on ne pouvait pas facilement ébranler la conviction profonde qu'il avait de sa position et de son autorité, paraissait mal à l'aise et, assis bien droit, s'efforçait de faire la conversation avec les visiteurs au lieu de regarder dans le vide, l'air sombre, selon une habitude dont personne dans la famille n'avait jamais tenté de le détourner — car on craignait moins son silence que ses paroles. Aruna le grondait : « Pourquoi n'avez-vous pas fait repeindre la maison, papa ? Regardez, les murs s'écaillent. Elle est simplement en train de *s'écrouler.* » Ou bien : « Où a disparu l'uniforme du chauffeur ? Il en portait un, d'habitude, où est-il passé ? » Si mamanpapa avaient autrefois éprouvé quelque appréhension en la mariant dans une famille où elle risquait de se sentir d'un niveau social inférieur, leurs craintes avaient été vaines : toute trace de ses racines provinciales était effacée et recouverte du brillant vernis de la métropole. C'était eux qui n'étaient pas à la hauteur.

La seule raison pour laquelle ils toléraient l'autoritarisme d'Aruna était que, manifestement, elle ne l'exerçait pas uniquement sur eux mais aussi sur Arvind, son mari, qui était venu déposer sa famille et reviendrait la chercher quelques jours plus tard. Maman était étonnée de la manière dont elle le grondait continuellement. Aruna s'écriait : « Oh, vous avez encore renversé du thé dans votre soucoupe, il va se répandre sur vous… » Ou bien elle tirait sur sa chemise en lui disant : « Mais cette chemise, elle ne va pas du tout avec votre pantalon. Pourquoi vous ne m'avez pas consultée avant de la mettre ? » Il était clair qu'Aruna avait la vision d'un monde parfait dans lequel tous ses proches, aussi bien sa propre famille que celle d'Arvind, étaient des défauts qu'il lui fallait constamment, dans sa quête de perfection, dénoncer et corriger. Il en résultait que personne n'était à l'aise, à la maison, mais ses exigences étaient touchantes à certains égards. Uma voyait qu'Aruna était vexée au point d'en avoir les larmes aux yeux lorsque le pudding s'était affaissé et étalé sur le plat au lieu de rester bien droit et ferme, ou qu'Arvind était venu dîner en pantoufles, ou encore que papa portait un tee-shirt avec un trou sous un bras, et elle avait pitié d'elle : était-ce là le royaume de bien-être et de confort dont Aruna avait toujours rêvé et dont certains pouvaient croire qu'elle l'avait atteint ? Il ne lui apportait certainement aucun plaisir : elle avait toujours une ride de mécontentement entre les sourcils, et son agitation la faisait cligner des yeux continuellement. Uma remarquait tout cela et en était troublée.

Maman demanda même un jour à Aruna si elle avait quelque chose aux yeux pour battre ainsi des paupières. Aruna répondit avec irritation qu'elle n'avait rien du tout. Maman lui dit alors que l'oculiste avait suggéré qu'Uma aille se faire examiner les yeux à Bombay par un spécialiste. «Un spécialiste ! À Bombay ! s'exclama Aruna. Savez-vous ce que cela *coûterait* ? » Elle parut si horrifiée à cette idée qu'Uma se sentit obligée de la rassurer en lui disant que le docteur Tandon était vraiment tout à fait compétent. «Bien sûr, qu'il l'est ! » s'écria Aruna.

Le seul plaisir qu'Uma retira de cette visite fut la promenade sur le fleuve à bord du grand bateau à fond plat qu'ils avaient loué pour contenir tous les invités venus prendre leur bain rituel. Uma était enthousiaste. Maman n'avait jamais permis à sa famille d'accomplir ce rite périlleux ; elle ne voyait pas pourquoi on mettrait sa vie en danger pour prouver sa foi religieuse, qui allait évidemment de soi.

Le batelier fit avancer l'embarcation lentement, à la perche, jusqu'à l'endroit où se rencontrent les deux fleuves ; il s'arrêta sur une barre de sable où l'eau affleurait, au milieu des vastes profondeurs glauques. Il stabilisa l'embarcation en enfonçant sa perche dans le sable strié de rides et conseilla à ses passagers de se baigner à cet endroit en leur enjoignant de ne pas s'éloigner de la barre et en les mettant en garde contre la force du courant.

Vêtues spécialement pour l'occasion de légers saris de coton, les femmes étaient toutes surexcitées. Elles se hissèrent avec difficulté par-dessus bord, poussant des cris lorsque le bateau tanguait, et s'agrippant les unes aux autres dans une joyeuse bousculade. Uma, électrisée par cette absence de contrainte, bondit par-dessus la proue et plongea sans hésiter, comme si elle s'était entraînée à cela toute sa vie. Elle disparut immédiatement, car elle n'avait pas sauté sur la barre de sable où pataugeaient les autres femmes, mais dans les eaux sombres et profondes du fleuve. Elle coula comme une pierre tandis que toutes criaient : « Uma, Uma ! Où est Uma ? » Quelqu'un saisit le pan de son sari qui flottait, simple bout de mousseline blanche, puis le bras qu'il entourait, puis l'épaule, et la hissa hors de l'eau sur le banc de sable. Le visage et les cheveux ruisselants, Uma tomba d'abord à genoux, puis se releva, haletant, chancelant, suffoquant, agitant les bras comme un grand oiseau de mer blessé. On entendit la voix impérieuse d'Aruna : « Uma, attention ! Je te défends... Uma... » Uma se secoua, serra ses bras autour d'elle, chassa l'eau de ses yeux en battant des paupières. Non, elle n'allait pas avoir une crise, assura-t-elle à Aruna d'un regard implorant, apaisant ; ce n'était pas une crise, promit-elle.

Ce qui était arrivé lorsqu'elle avait plongé dans l'eau sombre, qu'elle avait laissé se refermer rapidement et solidement sur elle, c'était qu'elle avait été entraînée, étreinte, saisie par le courant. Elle n'avait pas eu d'impression de peur, de danger. Ou plutôt, cette sensation en avait seulement accompagné une autre, plus sombre, plus violente, plus saisissante, une sorte de jubilation — qui était exactement, elle s'en rendit compte alors, ce qu'elle avait toujours recherché. Et ils l'avaient sauvée. C'était ce sauvetage qui la faisait trembler et pleurer sur ce banc de sable, trempée jusqu'aux os, tandis que le soleil du matin montait dans le ciel brumeux, couleur de sable, et frappait de ses rayons le bateau, les pots de cuivre que tenaient les femmes et la mousseline blanche flottant sur l'eau.

## 10

Mrs. O'Henry réunit des amies autour d'une tasse de café. Elle a invité Uma. Celle-ci est rouge de plaisir, les épais verres de ses lunettes brillent de joie lorsqu'elle entend au téléphone sa voix, son grasseyement grave et chantant. Mamanpapa qui, de la balancelle, l'observent intensément, pincent les lèvres.

«Qui était-ce? demandent-ils, bien qu'ils aient déjà deviné.

— Mrs. O'Henry. Elle m'a invitée à venir chez elle prendre une tasse de café», répond Uma à contrecœur. Elle voudrait garder pour elle cette précieuse invitation, qui ne concerne d'ailleurs qu'elle-même, et aurait préféré ne pas la divulguer. Mais c'est naturellement hors de question.

«Pourquoi? demande papa.

— Du café, pourquoi du café?» demande maman.

Uma a un mouvement impatient de la tête et répond avec vivacité : «Pourquoi? Elle invite quelques dames, et moi aussi, à venir pour un café, pas pour un thé.

— Peuh!» Maman exprime ainsi ce qu'elle pense de cette ridicule invention étrangère et se balance d'avant en arrière d'un air bougon.

«Qu'est-ce qu'il y a de mal à ça? demande Uma avec véhémence.

— Il n'y a rien de mal, réplique maman d'un ton aigre. Simplement je ne vois pas l'intérêt de ces réunions. Mrs. O'Henry t'invite pour un café, il faudra donc que tu l'invites à ton tour...

— Oui, et alors?» Uma se rebiffe. En manière de défi, elle se frotte le nez de la paume de sa main et le fait briller. «Vous ne faites pas la même chose avec vos amis? Vous allez dîner chez eux et vous leur rendez l'invitation...»

Papa fronce tant les sourcils que son visage s'est complètement fermé et qu'il ne peut sortir un mot, mais maman parle à sa place car elle, lorsqu'elle est contrariée, elle a la langue bien pendue.

«Ce n'est pas la même chose, dit-elle avec un geste du revers de la main comme pour chasser une mouche. C'est à cause de la profession de papa. Il faut que nous invitions certaines personnes et que nous leur rendions visite. Mais quel besoin as-tu de courir après Mrs. O'Henry?»

Uma explose. «Papa est retraité, il ne travaille plus et vous allez bien à des dîners et au club. Et moi, je ne cours pas après Mrs. O'Henry, c'est elle qui m'a invitée, vous avez bien entendu!

— Pourquoi est-ce qu'elle te téléphone tout le temps?» Papa parle enfin, piqué au vif par cette allusion à sa retraite. Il a gardé son bureau ouvert, son secrétaire y vient deux fois par semaine pour s'occuper du courrier, et il n'aime pas l'idée que sa vie ait été le moins du monde diminuée par cette retraite. Que deviendrait sa position, son standing en ville, et même dans sa famille, s'il renonçait à ces vestiges de son autorité et de son pouvoir? Il ne peut tolérer cela. Il faut immédiatement écraser cette fronde dans l'œuf. Le front baissé, il darde son regard le plus noir sur Uma. «Est-ce qu'elle essaie d'obtenir que tu...»

Uma l'interrompt, exaspérée : «Que peut-elle obtenir de *moi*? Elle souhaite seulement que je rencontre d'autres dames qu'elle a invitées pour le café.

— Peuh! prononce papa d'un air dégoûté, détournant la tête comme s'il ne servait à rien de parler à quelqu'un d'aussi naïf, d'aussi arriéré que sa fille aînée, une *vieille* fille.

— À quoi bon courir partout? Reste à la maison et fais ton travail, ça vaut mieux.» Maman hoche la tête avec componction.

«Je fais tout le temps mon travail, tous les jours, s'écrie Uma en pleurs. Pourquoi est-ce que je ne peux pas sortir de temps en temps? Je ne vais jamais nulle part. Je *veux* aller chez Mrs. O'Henry.»

Maman fait appel à toute sa patience et use d'une autre tactique. «Quand nous te proposons de nous accompagner au club, tu ne veux pas venir. Tu n'en as pas envie. Alors pourquoi te précipites-tu chez Mrs. O'Henry? Ces missionnaires chrétiens..., ils s'y connaissent pour attirer les gens naïfs. Tu ne comprends donc pas qu'ils attendent quelque chose de toi *en échange*?»

Uma est stupéfaite. «De moi? Que peut attendre de moi Mrs. O'Henry? Elle me fait cadeau de ses cartes de Noël, elle nous envoie un gâteau de Noël...»

Mamanpapa échangent un regard. Puis c'est papa qui parle : «Ne peux-tu pas *réfléchir*? C'est qu'elle essaie de te convertir, naturellement.»

Uma en a le souffle coupé. Elle essaie d'assimiler cette idée, qui est si grave qu'il lui faut un certain temps pour la comprendre. Puis elle se trouble, comme prise au piège. «Me convertir? Pourquoi dites-vous ça?»

Maman se penche en avant, plisse les yeux. «Pourquoi te donne-t-elle toutes ces cartes, ces anges, ces croix et tout le reste, hein?

— Maman! Ce ne sont que des cartes de Noël. Elle sait que j'en fais collection. Vous savez bien que j'ai une collection de cartes. Et les anges et les croix, ce sont des décorations de Noël.»

Maman pince les lèvres comme pour montrer qu'elle n'est pas dupe; et papa s'assombrit encore. Mais Uma se lève et fonce dans sa chambre, claquant la porte derrière elle avec rage et résolution.

Mrs. O'Henry a étalé une nappe de dentelle plastifiée sur une table basse dans son salon sombre et quelque peu lugubre avec ses quelques meubles d'osier délabrés et ses rideaux d'un vert triste. Elle y a posé des assiettes de sandwiches et de petits gâteaux ainsi qu'une cafetière dont le bec est un peu ébréché. Les sandwiches sont tartinés de beurre de cacahuète et les prétendus petits gâteaux sont très secs et durs comme de la pierre. Les invitées, essayant vainement de mordre dans ces cailloux, pouffent de rire. Uma rougit et veut réparer leur impolitesse.

«C'est délicieux», dit-elle à Mrs. O'Henry en hochant la tête. Les pieds bien écartés sur le tapis de coton, elle en tient un dans la main, et l'attaque avec des mines de plaisir. «D'où viennent-ils? De chez Bhola Ram?

— Oh non, pas de chez Bhola Ram.» Mrs. O'Henry écarte le nom du pâtissier local avec le plus grand mépris. «Je commande mon beurre de cacahuète à Landour[1] et les gâteaux sont préparés d'après une recette du livre de cuisine

1. Station de montagne, dans l'Himalaya.

que les dames de notre mission ont rédigé là-haut en tenant spécialement compte des conditions de vie en Inde, qui sont, vous savez, différentes de celles de chez nous. Mais ces dames ont vécu assez longtemps en Inde pour savoir quels sont les ingrédients qu'on peut se procurer et comment marchent les fours indiens. Elles ont appris à un épicier de Landour à faire du beurre de cacahuète, des pickles, de la confiture de mûres, et d'autres produits pour des gens comme nous. C'est bien utile.

— Des pickles? demande une dame, dont les lèvres sont gluantes et les dents enduites de beurre de cacahuète.

— Oui, des pickles comme les vôtres, mais sucrés, pas piquants.

— Des pickles sucrés?» s'écrie la dame, ébahie.

Uma lui jette un regard furieux à travers ses lunettes, lesquelles sont très expressives. «Ça doit être bon, dit-elle en balançant une jambe sur l'autre sous les plis de son sari à fleurs. J'essaierai un jour d'en confectionner. Papa a un faible pour tout ce qui est sucré.»

Mrs. O'Henry lui jette un regard reconnaissant : Uma, de toutes ces dames, est certainement la plus encourageante. Est-ce parce qu'elle a passé quelques années à l'école religieuse? Bien que les sœurs n'exercent pas la meilleure influence sur les jeunes... «Vous devriez persuader votre père de vous envoyer un été à Landour, dit-elle. C'est vraiment très beau là-haut, dans les montagnes. Il y fait frais, c'est tellement rafraîchissant.» Elle pousse un soupir et lève les yeux vers le ventilateur qui tourne lentement, avec un grincement et un cliquetis dont on n'a jamais réussi à se débarrasser. «On a besoin de s'en aller de temps en temps», soupire-t-elle de nouveau avec conviction. Mrs. O'Henry a deux tresses brillantes croisées sur le haut de la tête et fixées soigneusement par des épingles à cheveux, mais ses yeux sont cerclés de rides et si pâles qu'ils ont la couleur de galets usés par la mer.

«Nous sommes allés une fois à Simla, avance l'une des dames. Mais l'eau n'y est pas bonne, mes enfants sont tombés malades.

— Oh…, s'apitoie machinalement Mrs. O'Henry.

— Oui, ils ont eu une diarrhée très grave. Très grave. Nous en avons eu, du mal, pour les ramener en train! Mon mari a dit qu'il valait mieux ne plus y retourner si c'est pour que les enfants retombent malades.

— Je me sens toujours *mieux* quand je suis à la montagne», insiste Mrs. O'Henry, et les galets pâlis de ses yeux prennent un instant vie. Elle se tourne vers Uma, qui lui paraît la plus capable de la comprendre. «L'été, nous autres missionnaires, nous arrivons de toute l'Inde pour nous retrouver à Landour. C'est formidable. Il y a des concerts, des conférences, des prédicateurs de passage qui viennent nous parler, nous montrer des diapositives. À la fin du mois de juin, on organise une grande vente de charité à l'école de Woodstock. Il y vient beaucoup de monde, même de Mussoorie. L'an dernier, je tenais le comptoir des cartes de Noël. Devinez combien d'argent j'ai gagné pour l'église? Deux cents roupies en une matinée!

— Pour l'église? pépient les dames, incorrigibles.

— C'est vous qui aviez fait les cartes? demande Uma. Je vous en prie, montrez-nous, j'aimerais apprendre.»

Mrs. O'Henry semble extrêmement soulagée de les éloigner de la table à café et de les emmener jusque dans la véranda treillissée où elle travaille. Elle sort ses papiers de couleur, les ciseaux, les paillettes, les rubans, les pochoirs et, si elle n'a pas convaincu les dames avec son beurre de cacahuète et ses petits gâteaux, elle les impressionne cette fois, du moins Uma, avec une démonstration de pressage de feuilles d'arbre et de dessin au pochoir.

Les dames prennent congé et rient gaiement en retournant à leur foyer et leur famille, où personne n'attend d'elles de tels talents, une telle compétence, mais Uma serre contre elle une grande enveloppe pleine des ratages de Mrs. O'Henry, bruyère, violettes séchées, dentelles de papier pastel, qu'elle ajoutera à sa collection — témoignages d'une vie de conte de fées, ailleurs. Ailleurs. Ailleurs...

En lui disant au revoir, Mrs. O'Henry lui demande : « Est-ce que votre frère n'est pas aux États-Unis ? Dans une université ? Mr. O'Henry m'en a dit un mot... »

Uma fait un signe de tête affirmatif. « Oui, oui, Arun est à l'université du Mass-a-chu-setts. » Elle articule soigneusement.

« Par exemple ! s'écrie Mrs. O'Henry. J'ai une sœur qui habite le Massachusetts. Elle me dit qu'il y fait vraiment froid l'hiver. J'espère qu'il est bien chauffé ! »

Uma la salue et s'éloigne dans l'allée. Ses pensées ne sont plus occupées que de Landour : osera-t-elle jamais demander à papa la permission d'y aller, en compagnie peut-être de la gentille Mrs. O'Henry ?

De retour à la maison, la vue du visage de ses parents lui suffit : elle met cette idée de côté, ainsi que les cartes, qu'elle range tout en haut de son armoire.

*

Si l'on pouvait résumer d'un seul mot l'enfance d'Arun — ou du moins l'impression qu'Uma en avait gardé —, ce serait le mot « instruction ». Quoique cette notion n'ait pas été ce qui avait le plus compté dans la vie de ses sœurs — après tout, elles n'avaient été élevées qu'en vue de leur mariage par maman, qui s'était montrée assez compétente, ou du moins avait fait de son mieux, étant donné le matériau dont elle disposait —, s'il y avait une chose, dans la sphère familiale, sur laquelle papa insistait, c'était l'instruction que devait recevoir son fils, la meilleure, la plus poussée. N'était-ce pas ce que son propre père avait voulu lui donner, à lui, ainsi qu'à son frère Bakul, ce qui allait leur permettre de réussir tous les deux dans la vie ? Ainsi, ce qu'Uma se rappelait avec le plus de netteté, c'était Arun partant pour l'école Saint-John, ses jambes grêles émergeant tristement de son large short kaki comme son cou maigre de sa chemise de même couleur. Souvent, il toussait, il avait encore le nez bouché, les pommettes rouges, car il relevait d'une nouvelle série de maladies. D'un geste maniaque il tirait sur sa cravate, la réduisant à n'être guère plus qu'une ficelle, mais c'était encore un élément essentiel de son équipement. Il portait son cartable plein de livres, de plumiers, d'instruments de géométrie, comme un coolie chancelant sous un fardeau démesuré. Il revenait du même pas à la fin de l'après-midi, les doigts maculés d'encre, les vêtements couverts de craie, les chaussettes tire-bouchonnant sur ses chaussures de toile grise, et recevait la contribution de maman à son instruction : un verre de lait. Venait alors le tour des répétiteurs.

Ceux-ci se suivaient à intervalles réguliers, disposant d'une heure chacun ; répétiteurs de maths, de physique, de chimie, de hindi, de rédaction anglaise, de presque toutes les matières qu'il avait déjà étudiées pendant la journée à l'école. Uma et Aruna avaient pour consigne de ne pas rester près de lui, ni de lui apporter la moindre distraction, mais Uma jetait souvent un petit coup d'œil dans le cabinet de papa, consacré l'après-midi à l'instruction d'Arun. Son frère était assis au bureau de papa, se tortillait, mâchonnait ses crayons jusqu'à la mine, réduisait ses gommes en miettes de caoutchouc brunâtre, cependant que les répétiteurs, bien carrés dans le fauteuil de papa, se tripotaient l'oreille avec leur crayon, se grattaient les cheveux en répandant des nuages de pellicules, ou balançaient frénétiquement un pied sous le bureau, ce qui les aidait à endurer l'épreuve consistant à enfourner théorèmes, dates, formules et vers sanskrits dans le crâne d'Arun, qui commençait à ressembler aux gommes qu'il mâchonnait ou au bout de crayon qu'il mordillait.

Le soleil était couché, il ne restait peut-être qu'une demi-heure de poussiéreuse lumière du jour — en été, mais pas en hiver — lorsque papa entrait d'un pas martial dans son cabinet, donnait congé au dernier des répétiteurs, qui n'avait eu droit qu'aux dernières parcelles de l'attention faiblissante d'Arun, et disait à son fils d'un ton magnanime : « Va jouer, maintenant. Va te dégourdir les jambes. Joue au cricket, par exemple. » Arun se levait, tout perclus, rassemblait à tâtons et empilait livres et cahiers, puis se traînait jusque dans sa chambre avec la démarche d'un vieil homme usé. Jetant par terre tout son chargement qui atterrissait en une cascade de bruits sourds, il s'écroulait sur son lit et tendait mollement une main pour tirer un album de bandes dessinées d'un tas de *Superman* ou de *Capitaine Marvel,* sous lequel il disparaissait. « Cherche ta raquette de badminton, mon garçon, ou ta batte de cricket. Il faut que tu prennes un peu d'exercice. "Un esprit sain dans un corps sain"... » Mais Arun ne bougeait pas ; maman poussait de petits gloussements de sympathie et empêchait papa de l'entraîner dehors de force.

Et il y avait les examens ; chaque année, le rythme des études s'accélérait progressivement, mettait les précepteurs à bout de nerfs car ils devaient s'assurer que leurs élèves auraient d'honorables résultats s'ils voulaient conserver pour l'année suivante leurs lucratives leçons particulières. Arun veillait soir après soir, enfoui dans ses livres, tandis que les moustiques planaient au-dessus de sa tête et que la transpiration dégoulinait et lui poissait le cou. Papa restait assis sur la véranda, transpirant lui aussi, les yeux gonflés de sommeil, mais il voulait être sûr qu'Arun ne relâchait pas ses efforts.

Après le dernier des examens, le plus éprouvant, le plus redoutable, celui qui devait avoir les plus graves conséquences, maman et Uma pensèrent qu'Arun serait enfin libre. Maman avait le projet de l'envoyer pour de petites vacances à Bombay, chez Aruna. Papa traita cette idée avec mépris. « Des vacances ? À Bombay ? Tu crois que c'est ça qui l'aidera à entrer dans une bonne université ? Maintenant, il faut qu'il se présente à des concours d'entrée, qu'il rédige des demandes d'admission, que nous fassions des listes, que nous nous renseignions… » Jamais papa n'avait été aussi occupé ; il courait au club retrouver de vieux amis qu'il n'avait pas vus depuis des années, glanait conseils, recommandations, renseignements ; il envoyait Arun à la banque, à la poste, signait des déclarations, remplissait des formulaires : puisque Arun devait aller à l'étranger pour ses « études supérieures », on n'en finissait pas avec toute la paperasserie que cela impliquait.

« À quoi bon ? protestait maman. Il y a ici le collège Seth Baba Ram, Mr. Joshi y est allé, il n'est pas mal… »

Papa ne daignait même pas répondre aux arguments de maman ; il n'attendait pas d'elle qu'elle comprît l'importance qu'il y avait à envoyer Arun à l'étranger, ni la valeur d'un diplôme de là-bas, qui lui ouvrirait dans l'avenir des occasions, des possibilités… Il n'accordait pas la moindre attention aux protestations de maman et s'occupait uniquement d'Arun, qui avait besoin de tous les conseils, de toutes les méticuleuses recommandations que papa pouvait lui prodiguer. Peut-être se souvenait-il d'avoir dû étudier sous les lampadaires, d'avoir débuté péniblement dans de poussiéreux tribunaux provinciaux, pour montrer cette détermination quasi maniaque. Réalisait-il, à travers Arun, un rêve qu'il avait fait sous les becs de gaz ou dans les minables tribunaux de district? Uma, qui l'observait, essayait de trouver une explication, qu'il ne donnerait jamais, bien sûr : comment papa pourrait-il reconnaître qu'il avait des rêves insatisfaits? qu'il n'avait pas entièrement réussi?

Toujours est-il que lorsque arriva enfin la lettre d'admission, ce fut papa qui s'écroula, tout simplement épuisé. Il ne fut même pas en état de se lever pour la célébration, la fête qu'il avait promise à son fils en cas de succès. Le visage cendreux, il resta étendu sans forces sur la balancelle, et laissa maman prendre les choses en main, et agir comme elle l'entendait.

Mais passé les premières embrassades de félicitations et la confection des friandises qui devaient être distribuées aux amis et voisins, maman, elle aussi, se blottit sur la balancelle, reniflant délicatement dans son mouchoir, et se tamponnant de temps en temps les yeux. Uma restait assise auprès d'elle, et lui tapotait parfois le bras sans savoir si maman avait du chagrin en pensant au départ d'Arun, ou si c'était le rôle que doit jouer une mère — en tout cas, elle avait le droit de pleurer.

Uma observa également Arun lorsqu'il lut la lettre fatidique. Elle scruta son visage, y cherchant une expression de soulagement, de joie, de doute, de crainte… Mais elle n'en vit aucune. Toutes ces années de surmenage scolaire avaient effacé de sa figure l'expression personnelle qu'il avait pu avoir autrefois. Elles n'avaient laissé que l'essentiel : un nez, des yeux, une bouche, des oreilles. Arun serrait les lèvres, son nez était aplati au maximum, et ses yeux étaient protégés par les épaisses lunettes rendues nécessaires par ses impitoyables études. Il n'y avait rien d'autre, pas l'ombre d'un sourire, ni un froncement de sourcils, ni un rire, rien ; toute expression avait été peu à peu entièrement gommée. Ce visage vide regardait maintenant fixement la lettre ; Arun affrontait la nouvelle phase de son existence organisée pour lui par papa.

Uma poussa un soupir de déception et s'éloigna, frustrée. Elle n'aurait pas dû s'attendre à autre chose. Son frère avait le même regard inexpressif que lorsque, enfant, il parcourait des centaines d'albums de bandes dessinées, récits d'aventures fantastiques, criminelles, passionnées, téméraires ou comiques, qu'il laissait affluer à son cerveau, puis sombrer dans le puits profond de grisaille qu'était sa véritable existence. Uma avait beau plonger le regard dans ce puits, y chercher quelques bouts de papier de couleur qui pourraient y flotter encore, ils avaient sombré sans laisser de trace. Parfois, elle était saisie d'un violent désir d'agiter cette grisaille visqueuse, de ranimer quelque indice de couleur, sinon dans sa propre vie, du moins dans celle d'un autre.

Ses lunettes étincelèrent, ses mouvements se firent plus brusques, mais personne ne le remarqua. Elle allait et venait, préparait les vêtements d'Arun, faisait et défaisait ses bagages, maman ne pouvant trouver l'énergie nécessaire pour cette tâche.

Arun fit peu attention à Uma, il était trop absorbé par la lecture des prospectus et des brochures envoyés par l'université ; il essayait de s'imaginer sur un campus inconnu.

Puis vint le jour du départ ; Arun allait monter dans le train de Bombay, d'où il s'envolerait pour les États-Unis, lorsque, se retournant, il vit Uma sur le quai, à côté de ses parents et il s'aperçut soudain qu'elle avait vieilli : sa sœur Uma commençait déjà à se voûter et se recroqueviller. Il lui jeta un regard douloureux.

Depuis qu'Arun n'était plus là, papa se repliait sur lui-même. La vie se réduisait plus que jamais à la véranda, à la balancelle, à des propos intermittents, coupant des silences de plus en plus longs.

Les lettres d'Arun, des aérogrammes bleu pâle, arrivaient régulièrement. Chacun à son tour palpait le papier épais et lisse, s'émerveillant de sa qualité qui avait résisté au voyage, témoignage à leurs yeux de la résistance d'Arun lui-même, de sa survie. Le message, écrit à l'intérieur, n'était pas aussi convaincant : quelques lignes, qui semblaient insignifiantes, inconsistantes. « Je suis en bonne santé. Comment allez-vous tous ? J'espère que vous allez bien. Quel temps fait-il ? Ici, il fait chaud… » ou froid, ou humide, ou bien il neigeait, ou bien il faisait de nouveau chaud. « Je travaille beaucoup. Cette semaine, il faut que j'écrive deux exposés. La semaine prochaine, nous ferons une excursion. Mes études me plaisent beaucoup. » La note la plus personnelle, et poignante, qu'il répétait fréquemment, était : « La nourriture n'est pas très bonne. »

Il aurait pu écrire la même chose sur la cantine du collège local, se dit Uma, désappointée.

## 11

Uma a disposé sur la table tout ce qu'il lui faut pour écrire, après avoir enlevé la nappe brodée pour ne pas la tacher d'encre ni être gênée. Elle approche une chaise, se penche en avant, les lèvres rentrées ; elle attend que papa commence à dicter la lettre. Elle sait qu'elle ne doit pas se tromper : l'aérogramme coûte cher, on ne peut pas le déchirer comme une feuille de papier et le jeter à la corbeille pour en prendre un nouveau, papa l'en a avertie bien des fois. Le silence règne ; il n'est rompu que par le continuel murmure des pigeons perchés sur les nattes de roseau, enroulées à présent. Uma a l'impression qu'ils lui font la leçon, et elle les regarde du coin de l'œil avec irritation.

Papa la gronde : « Bon, Uma, que regardes-tu maintenant ? Concentre-toi sur la lettre.

— C'est ce que je fais, papa. Que dois-je écrire ?

— Écris : "Cher Arun..." » Papa s'éclaircit la gorge et reprend avec lenteur. « "Nous sommes heureux d'apprendre que tu as réussi tes examens, et que tu peux à présent jouir d'un repos bien mérité..."

— Attendez, attendez, crie Uma, qui fait des efforts désespérés pour que sa plume coure à la vitesse de la dictée.

— Ah là là! Ce que tu es lente! se plaint papa.

— Elle est lente», acquiesce maman tout à fait inutilement.

Mais ces interruptions ont permis à Uma de rattraper son retard; l'effort la fait respirer bruyamment.

«"Mr. O'Henry est venu nous faire une proposition. Tu te rappelles Mr. O'Henry de l'école Saint-John"... Mets ça entre parenthèses, Uma.»

Uma a déjà commencé à écrire : «Mets ça entre parenthèses», et doit maintenant l'effacer. Elle tâche de le faire discrètement, mais papa s'en est aperçu et il explose. «Tu ne sais pas ce que c'est que des parenthèses? Qu'est-ce qu'on t'a appris chez les sœurs?

— À l'école, dit Uma en levant la tête, les sœurs nous disaient : "Ouvrez la parenthèse, fermez la parenthèse", comme ça nous *savions*...

— Alors, comment se fait-il que tu ne saches pas? fulmine papa, qui reprend rapidement. "La sœur de Mrs. O'Henry habite dans la même ville que toi. Elle se nomme Mrs. Patton, et elle a un fils et une fille. Mrs. O'Henry lui a écrit et elle a répondu qu'elle est prête à mettre une chambre à ta disposition pendant les mois où tu ne peux pas habiter au foyer universitaire...

— Quel drôle de règlement! intervient maman, encore indignée. Si les étudiants ne peuvent pas rester au foyer, où peuvent-ils aller, hein?

— Grrr...» Papa tourne son irritation vers elle. «Tu ne comprends donc pas? Quand l'université est fermée pour l'été...

— Je comprends, je comprends, dit maman avec mauvaise humeur, mais *où* peuvent-ils aller? Ça, ils ne le disent pas.

— Mais la sœur de Mrs. O'Henry a offert…

— Papa, que dois-je écrire : "est prête à mettre une chambre à ta disposition" ou "a offert", ou quoi ?»

Maman, vexée, se tait maintenant, et papa fixe de nouveau son attention sur Uma ; il se penche pour s'assurer qu'elle n'a pas mélangé les deux versions. Son visage contracté laisse paraître l'effort qu'il fait, il peine autant qu'Uma. Tous deux transpirent et doivent s'interrompre fréquemment pour s'éponger le cou et la figure. L'aérogramme, lui aussi, est humide et défraîchi, il n'est pas de la même qualité que ceux qu'Arun envoie d'Amérique. De leur perchoir, les pigeons continuent à gronder, à se plaindre, à grommeler.

Maman, elle, est prostrée et tient son visage dans ses mains ; elle a mal à la tête. En entendant papa conclure sa lettre par : «Maman et Uma t'embrassent. Affectueusement, papa», elle soupire, et se redresse. «Qui sait comment est cette sœur de Mrs. O'Henry ? dit-elle tristement. Qui sait si elle s'occupera convenablement d'Arun ?»

Papa lui lance un regard mécontent et lui fait remarquer qu'Arun a bien de la chance qu'on lui offre un logement gratuit. Uma ne peut s'empêcher d'ajouter : «Les O'Henry sont vraiment très gentils», pour rappeler à ses parents les nombreuses occasions où ils ont omis de remarquer ce qui est à présent si évident. Mais lorsque mamanpapa se tournent vers elle, l'air furibond, elle juge préférable de changer de sujet et, en fait, de mettre un terme à la discussion. «Je vais dans ma chambre, leur dit-elle en se levant, j'ai mal aux yeux.

— Tu as mal aux yeux pour avoir écrit une seule lettre ? Bah !» Papa lui dit ce qu'il pense de ses faibles capacités.

Uma est révoltée. Toute l'indignation accumulée depuis le matin remonte et éclate. «Je vous ai dit bien des fois que j'avais mal aux yeux», crie-t-elle.

Maman acquiesce. «Oui, elle a quelque chose aux yeux. Elle m'a dit qu'ils lui font mal. Elle devrait peut-être voir un spécialiste.»

Uma a ôté ses lunettes et se frotte les yeux.

«Tout le monde a la vue qui baisse en vieillissant, déclare papa. Vous ne savez pas ça? Vous croyez que *la mienne* n'a pas baissé?

— Oui, mais vous êtes allé chez le docteur et il vous a donné de nouvelles lunettes», lui rappelle maman.

Il s'enfonce en silence dans son siège et son visage se ferme devant toutes ces allusions et ces insinuations contrariantes que les deux femmes lui jettent à la figure, ainsi qu'un portail qui se ferme devant des visiteurs importuns.

*

Papa a appelé Uma; on la demandait au téléphone; l'appareil était posé sur son bureau, dans son cabinet. Il semblait fort irrité d'avoir été interrompu dans son «travail». Moins il en a, remarqua Uma, plus il tient farouchement à ce que tout le monde soit averti quand il est occupé. «Ces religieuses…, grommela-t-il en lui tendant le récepteur à contre-cœur, il faut que tu leur dises de ne pas t'appeler tout le temps.

— Tout le temps?» s'exclama Uma, qui lui arracha le téléphone des mains. Les religieuses ne l'avaient jamais appelée auparavant. «Oui? Oui?» cria-t-elle.

C'était mère Agnès; sa voix paraissait éteinte, comme si elle téléphonait de très loin. «Ma petite Uma…» Sa voix chevrotante faisait penser au craquement du papier quand on ouvre un paquet. «Vous savez que nous préparons la vente de charité de Noël. Mrs. O'Henry souhaite y tenir un comptoir, mais elle a besoin de quelqu'un. Seriez-vous disposée à l'aider, ma chère petite? Vous savez que nous serons nous-mêmes très occupées avec les jeux, les comptoirs d'alimentation et le concert... »

Uma y était si disposée qu'elle ne tint aucun compte du regard furieux de papa et qu'elle cria dans le récepteur : « Je viendrai, ma mère, je viendrai. » Quand elle se retourna pour aller prévenir maman, elle la trouva qui écoutait sur le pas de la porte, si bien qu'il faillit y avoir collision.

Mais, malgré elle, malgré eux, ce fut une journée mémorable. Une journée comme toutes les journées devraient être, et pas seulement une seule dans toute l'année, une seule dans une vie entière. Si on avait demandé à Uma de dépeindre le paradis, eh bien au paradis il y aurait des lanternes en papier suspendues aux arbres qui bordaient l'allée et entouraient la cour de l'école; il y aurait des chrysanthèmes blancs et jaunes comme de gros œufs à la coque dans des pots fraîchement peints sur les marches de la véranda; il y aurait l'orchestre de Tiny Lopez jouant sous une tente dressée sur le terrain de basket; il y aurait, d'un côté, des comptoirs où des dames feraient frire des beignets de pommes de terre et vendraient des caramels dans des paquets en papier crépon rose, des bouteilles de limonade et de la barbe à papa, et, de l'autre côté, il y aurait des jeunes filles en short bleu, blouse blanche et rubans, qui superviseraient les jeux de hasard, la « pêche miraculeuse », le « bilboquet », la « queue du cochon », « combien pèse le plum-cake? » Il y aurait des religieuses s'affairant avec une gaieté inaccoutumée, des écolières s'appelant à tue-tête dans les couloirs pleins d'animation, et quelqu'un remonterait un gramophone pour faire entendre un vieux quarante-cinq tours comme *My Darling Clementine...* Et Uma aurait sa place dans ce paradis, à côté de l'épouse du missionnaire baptiste aux deux tresses bien lisses de cheveux d'or ; elle aurait non seulement l'autorisation, mais la mission de s'occuper des petits paquets de cartes décorées au pochoir, avec des brins de fougère, des rosettes de satin, des étoiles pailletées et des violettes séchées. Elle recueillerait l'argent dans une boîte en fer-blanc pour la dame aux joues en feu et toute contente, qui n'en finirait plus de sourire chaque fois que quelqu'un y ajouterait une petite pièce, et qui dirait à mère Agnès, à la fin de la journée : « Quelle fortune nous avons amassée pour les pauvres ! Toutes les cartes ont été vendues. Cette *chère* enfant m'a tellement bien aidée. » Pour lui faire plaisir, pour la récompenser, on permettrait à Uma de tenter gratuitement sa chance à la pêche miraculeuse, et elle gagnerait un volume relié des poèmes d'Ella Wheeler Wilcox, un peu défraîchi seulement, qu'elle rapporterait à la maison en souvenir.

Maman ne vint pas à la vente de charité. Maman sortait rarement sans papa, et ce n'était alors que pour se rendre à une réunion mondaine, une soirée de bridge au club ou une réception donnée pour le mariage d'une fille d'amis. Maintenant que papa était à la maison toute la journée, les visites subreptices chez la voisine pour une partie de rami n'étaient plus possibles. S'il fallait envoyer quelque message à Mrs. Joshi, on dépêchait l'ayah ou le jardinier, ou parfois Uma. Maman n'avait pas d'objection à ce qu'elle aille chez les voisins à condition que cela ne se produise pas trop souvent, ni à son insu.

C'est qu'ils connaissaient Mrs. Joshi depuis qu'elle était arrivée, jeune mariée, dans la maison de l'autre côté de la haie, alors que sa belle-mère vivait encore et gouvernait la maisonnée comme une méchante impératrice de l'ancien temps — capable de faire se flétrir le jardin tout entier à son simple contact, de transformer un sorbet en eau tiède, les jeux des enfants en punitions. La jeune Mrs. Joshi s'était souvent faufilée à travers la haie pour venir se plaindre à maman, et même pleurer un peu. Mais ses larmes ne duraient pas, ses doléances se transformaient en éclats de rire : elle avait un fonds inépuisable de bonne humeur, grâce à laquelle ses joues se remplissaient et s'arrondissaient comme des petits pains, alors qu'elle se plaignait de ne pas pouvoir boire de lait ni de manger de sucreries sans que sa méchante belle-mère l'accuse d'être gloutonne. La vérité, c'était que le fils de cette femme aimait son épouse. On le voyait au sourire qui errait sur ses lèvres quand elle était auprès de lui, à la façon dont il trouvait le moyen de la faire sortir en cachette de la maison pour l'emmener au cinéma, et dont tous les deux se parlaient à l'oreille et étaient pris de fous rires, tandis que la vieille dame, impuissante, les regardait d'un air courroucé. C'est pourquoi les yeux de Mrs. Joshi étaient restés si brillants et ses joues si rebondies. Et elle se laissait toujours volontiers entraîner dans la chambre des jeunes filles pour regarder les derniers achats d'Aruna et la collection de bracelets en verre d'Uma. «Mais porte-les donc, Uma, porte-les. Pourquoi les cacher dans ton armoire?» demandait-elle. Elle ne venait jamais sans un petit cadeau qu'elle avait réussi à emporter en catimini de chez elle, et elle demandait toujours affectueusement des nouvelles de la cousine Anamika, ayant appris qu'elle souffrait comme elle sous le joug d'une belle-mère aussi effrayante que la sienne. Lorsque cette dernière mourut enfin, la jeune Mrs. Joshi se comporta de façon irréprochable, lors des cérémonies et des rites, et prit aussitôt la conduite du ménage avec la plus grande assurance, attachant le trousseau de clés à sa taille et commençant ainsi son règne bienfaisant.

Là où, sous la férule de la vieille despote, il n'y avait eu que poussière et désolation autour de la grande maison, Mrs. Joshi avait à présent un parterre de roses dans le jardin, devant la maison, et dans le jardin de derrière il y avait des planches de légumes si abondants et si luxuriants que leur profusion était partagée entre tous les voisins.

Ses enfants jouaient partout librement : les battes et les balles de cricket jonchaient les vérandas, des balançoires pendaient des grands arbres. Les garçons avaient remporté les premiers prix à l'école, trouvé du travail, ils étaient partis s'installer dans les grandes villes. Les filles avaient été mariées l'une après l'autre et élevaient maintenant leurs enfants, enseignaient dans des maternelles, peignaient ou faisaient de l'impression sur textile, donnaient ou prenaient des leçons de musique, menaient des vies qui semblaient aussi faciles et légères qu'un vol d'hirondelles. Seule Moyna, la plus jeune, avait inexplicablement désiré être « différente », faire carrière. Ils en avaient tous été surpris, un peu amusés, et avaient cédé à son petit caprice. Elle était partie pour Delhi, où elle poursuivait cette « carrière », et ils riaient en attendant son retour.

Après ce départ, Uma étreignait parfois Mrs. Joshi, enfouissait son visage dans son cou fraîchement poudré et lui disait en plaisantant : « Vous ne voulez pas m'adopter, tantine ? Maintenant que Moyna n'est plus là, vous ne voulez pas que je sois votre fille ? » et Mrs. Joshi lui répondait en riant : « Mais bien sûr ! Reste ici, tu seras ma fille », et elle poussait doucement Uma vers sa maison avec un panier de mangues ou un bocal de pickles pour maman.

Une carrière. Quitter la maison. Vivre seule. Ces possibilités secrètes, troublantes, entraient désormais dans la tête d'Uma lorsqu'elle était désœuvrée — comme maman l'aurait fait remarquer si elle l'avait su. Elles étaient comme des graines tombées sur la terre rocailleuse, aride, qu'habitait Uma, et parfois, miraculeusement, faisaient germer en elle l'idée de s'enfuir, de s'évader. Mais Uma était incapable de se représenter sa fuite sous la forme d'une carrière. Car qu'était-ce qu'une carrière? Elle n'en avait aucune idée. Sa vision de la liberté, d'un refuge, était pour elle comme un énorme et vénérable banian, d'où retombaient des racines grises et aériennes, au feuillage épais, où des singes et des perruches se régalaient de baies. Parfois, elle entendait tomber ces baies sur le toit de tôle ondulée qui cuisait sous l'éclat blanc du soleil. En contrebas, coulait une rivière où étincelait le sable et brillait un filet d'eau, et non pas le fleuve large, profond, impitoyable, qui coulait près de leur ville et s'était ouvert un jour pour l'engloutir et l'entraîner, et dont elle avait été brutalement arrachée. Elle entendait le bruit de la jarre d'eau que l'on posait sur le sol de la véranda. En fermant les yeux, les petits points qui flottaient dans le noir se transformaient en cerfs-volants qui, poussés par le vent, tournoyaient et montaient très haut. Elle se voyait assise sur une marche de pierre, écoutant les perruches jacasser dans le banian, regardant au loin l'eau scintiller dans le sable et les cerfs-volants planer dans le ciel, si haut qu'ils se fondaient dans l'infini.

Mais elle sentait alors les mains de Mira-masi se poser sur ses épaules, l'agripper, et entendait sa voix proclamer : «Tu es l'enfant du Seigneur. Je vois Sa marque sur toi», ou : «Le Seigneur a rejeté l'homme que tu as choisi. Il t'a choisie pour Lui.» Alors, Uma sursautait, commençait à agiter les bras dans tous les sens, à regarder autour d'elle d'un air égaré et maman criait : «Uma, qu'y a-t-il, Uma?» Elle se calmait, et peu à peu se sentait entraînée par un courant souterrain jusque dans des abîmes secrets, si obscurs qu'elle ne voyait plus rien, sinon l'obscurité.

## 12

Toute la matinée, mamanpapa ont trouvé des choses à faire pour Uma. C'est comme si la retraite de papa devait se passer ainsi : être assis avec maman sur la balancelle rouge dans la véranda, se balancer et trouver des occupations pour Uma. Tant qu'ils en sont capables, ils se sentent eux-mêmes actifs et occupés. Il faut qu'elle écrive une lettre à Arun, qu'elle s'assure qu'il a bien reçu le paquet contenant du thé et le châle qu'ils lui ont envoyé par l'intermédiaire du fils du juge Dutt. Entre-temps, elle doit chasser les galopins qui convoitent les mûres de l'arbre près du portail, et s'assurer aussi que le cuisinier a acheté les mangues vertes que l'on doit confire et aussi qu'il a tous les ingrédients et les épices nécessaires — mais rien de trop, car il pourrait en garder pour lui. Seulement, lorsque papa déclare qu'il faut étaler au soleil ses lainages d'hiver et les couvrir de feuilles de margousier séchées parce qu'il a vu voler des mites, Uma, qui se sent poussiéreuse et irritable à force de se précipiter dans l'allée jusqu'au portail pour crier après d'impertinents galopins et de retourner à la cuisine pour entendre les jérémiades du cuisinier qui a dû aller à pied au bazar parce que sa bicyclette est cassée et n'a pas été réparée, Uma, face à la balancelle rouge, tape du poing sur la table recouverte de la nappe aux broderies fanées — qui date de ses leçons de couture à l'école, avec sœur Philomène — et, regardant fixement mamanpapa, les brave ouvertement. Elle se frotte énergiquement le nez du plat de la main comme pour souligner sa détermination. « Pas aujourd'hui, répond-elle à papa d'une voix forte. Je ne peux pas faire ça aujourd'hui. »

Elle tourne les talons, va dans sa chambre, et s'enferme à clé. Elle sait que mamanpapa deviennent alors immédiatement soupçonneux, mais elle les défie de venir ouvrir. Elle reste debout, attendant qu'ils crient, qu'ils cognent à la porte. Les minutes passent, elle imagine leur expression, leur visage contracté par l'irritation, la curiosité, figé enfin dans la désapprobation.

Elle ouvre son armoire et examine ses affaires. Elle pourrait regarder encore sa collection de cartes, mais c'est un plaisir réservé aux vacances que sont les soirs où mamanpapa sortent. Un petit répit d'une demi-heure dans la routine quotidienne ne suffit pas. Elle pourrait aussi examiner sa collection de bracelets ou de mouchoirs, mais elle n'aurait pas besoin pour cela de s'enfermer puisque ce ne serait pas considéré par maman comme subversif ou dangereux. Elle pourrait écrire une lettre à une amie, un message intime de désespoir, d'insatisfaction, de fervente aspiration. Elle a un bloc de papier mauve avec une rose gravée dans un angle. Mais à quelle amie l'adresser ? À Mrs. Joshi ? Comme elle habite à côté, elle serait étonnée. Aruna ? Mais Aruna n'y prêterait aucune attention, elle est trop occupée. Le cousin Ramu ? Que pouvait-il bien faire ? Sa ferme l'avait-elle avalé ? Et Anamika, le mariage l'avait-elle dévorée ?

Immobile, elle réfléchit en se mordant les lèvres, puis tend la main pour attraper le petit livre relié de toile qu'elle a gagné à la vente de charité de Noël. Oui : ses lèvres se plissent de satisfaction.

Elle s'assied sur son lit et s'installe confortablement, les jambes croisées. Elle entend la balancelle qui grince sur la véranda, mais à peine a-t-elle ouvert le livre et commencé à lire que ce bruit faiblit. Elle lit lentement, par manque d'habitude, et sait qu'on peut l'interrompre, l'appeler, d'une minute à l'autre. Mais elle parcourra un poème ou deux, et y trouvera le plaisir qu'on lui refuse. Ses lèvres remuent à mesure qu'elle déchiffre les vers.

> *Avant que ce bouton de rose ne se fanât,*
> *Avec quelle douceur passionnée*
> *La valse folle s'amplifia et bondit*
> *En cadence pour des pieds qui s'envolaient.*

Les doigts de pied d'Uma frémissent de plaisir ; elle suit le rythme en se cognant les genoux.

> *Comme les bassons grondaient fort,*
> *Devenaient follement stridents,*
> *Et, ah ! ces vœux que prononcent les lèvres*
> *Et que les cœurs n'accompliront pas.*

Elle tient le livre sur ses genoux comme un trésor et feuillette les pages épaisses et lisses.

> *Tu perds ta vie dans cette chambre morne et sombre*
> *(il caressait son drapé soyeux) ;*
> *Sur ta croisée, appuie-toi juste un peu, ma reine,*
> *Et vois ce que contient le vaste monde.*
> *Ici, le bleu merveilleux de tes yeux incomparables*

*Appauvrissent le ciel et la mer.*
*Tu es trop éblouissante pour te cacher,*
*Viens, vole avec moi, aimée, vole…*

Dehors maman crie : « Uma ! Uma ! Papa veut que le cuisinier lui prépare une tasse de café. »

Uma se concentre sur les mots « incomparables », « soyeux », « croisée », « reine ». Elle fera la sourde oreille.

« Uma ! Du café, pour papa ! »

Uma jette un regard irrité à la porte. La voix de maman y cogne, aiguisée comme une hache. Elle entend déjà que le battant se fend, elle attend qu'il cède, mais jusque-là elle ne bougera pas. Elle tient son livre bien serré dans ses mains, caresse sa couverture, l'ouvre à la page de titre, lit le beau nom mélodieux de l'auteur, Ella Wheeler Wilcox. Puis celui de l'éditeur, également ravissant, Gay et Hancock, Henrietta Street, Covent Garden, puis la liste des autres œuvres de l'auteur, *Poèmes de douleur, Poèmes de joie, Le royaume de l'amour, Naguère…* Si seulement elle pouvait les trouver et les lire tous.

Cette fois, maman tambourine pour de bon à la porte. « Uma, pourquoi t'es-tu enfermée ? Ouvre immédiatement ! »

Uma descend du lit, son livre à la main et bondit pieds nus à la porte, qu'elle ouvre avec tant de violence que maman chancelle et manque de tomber ; elle se retient en s'appuyant contre le chambranle et, pour recouvrer sa dignité, s'écrie : « Que se passe-t-il ici ? »

Uma lui brandit le livre sous le nez : *Poèmes de plaisir*, d'Ella Wheeler Wilcox. « Je lisais… ça ! » siffle-t-elle, les dents serrées.

Maman, après un bref coup d'œil de myope, écarte le livre comme si c'était une mouche. « Tu lis, tu lis… Tu ne nous as pas dit que tu avais mal aux yeux ? Alors, pourquoi lis-tu ? Range-moi ça et va chercher une tasse de café pour papa. C'est l'heure de son café et de ses biscuits », ajoute-t-elle d'une voix stridente comme si elle avait peur qu'Uma ne refuse.

Uma ne refuse pas. Elle jette le livre sur la table, faisant tressauter sa brosse à cheveux et le flacon d'huile capillaire, passe devant maman et va à la cuisine.

Elle retourne à la véranda avec un plateau métallique — le cuisinier a commencé à préparer les pickles et n'a pas voulu qu'on l'interrompe. Elle dépose le plateau sur la table, devant la balancelle, verse à la diable un peu de lait dans le café. « Bouton de rose. Valse folle. Passionnée… », leur crie-t-elle silencieusement. Puis elle lance du sucre dans la tasse. « Follement. Vœux. Accomplir… » Son silence est un hurlement lancé vers eux. Elle tourne avec tant d'énergie la cuiller dans la tasse qu'elle répand un peu de son contenu sur la soucoupe, puis elle pousse le tout avec brusquerie vers papa. Ses yeux étincellent derrière ses lunettes. « Voilà, *ça*, c'est ce que je sais. Et vous, *vous ne savez pas*. »

Il lui prend la tasse des mains, trop surpris pour protester.

*

Au fil des années, les visites de Mira-masi se firent de moins en moins fréquentes. Quand elle vint pour la dernière fois, elle paraissait amaigrie, malade ; ses cheveux gris étaient épars sur ses épaules, ce qui lui donnait un aspect négligé un peu effrayant. Uma hésitait davantage qu'autrefois à l'approcher, n'étant pas sûre que les liens tissés entre elles deux lors de son séjour à l'ashram aient subsisté. Mira-masi ne semblait pas s'en souvenir ; la plupart du temps, elle ne faisait guère attention à elle ; Uma sortait pourtant dès l'aube et, dans le jardin, cueillait des fleurs pour ses rites du matin ; elle prenait des cannas et des hibiscus aux couleurs éclatantes, à défaut de fleurs plus appropriées, mais Mira-masi, apparemment indifférente, ne semblait pas le remarquer. Si Uma lui demandait ce qu'elle pouvait lui apporter pour faire sa cuisine — lorsque arrivait Mira-masi, le foyer de la véranda était toujours balayé, nettoyé et réparé avec de l'argile fraîche —, elle secouait seulement la tête : non, elle ne ferait pas de cuisine. « Mais que mangerez-vous ? » demandait Uma avec inquiétude, s'interdisant de penser égoïstement aux friandises que Mira-masi préparait si volontiers autrefois et à profusion. « Il faut que vous cuisiniez quelque chose, masi. Vous n'avez pas l'air bien solide. Je vais vous apporter des épinards, de la farine de maïs… Que souhaiteriez-vous d'autre ? » Mira-masi secouait encore la tête. « J'ai apporté ce qu'il faut », répondait-elle avec brusquerie, et elle tirait de son sac de toile quelques bananes, des cacahuètes et des dattes ratatinées. C'était tout ce qu'elle consentait à manger.

Elle se rendait encore d'un pas raide au temple rose, au bout de la rue, mais en montrant à tel point son désir d'être seule, comme si elle défiait quiconque de l'arrêter ou de l'accompagner, qu'Uma n'osait la suivre. Elle se contentait de rester près du portail à attendre son retour en faisant semblant de surveiller le jardinier qui creusait de nouvelles rigoles pour canaliser l'eau jusqu'à l'endroit où l'on avait planté des papayers, ou jusqu'aux buissons de jasmin, comme pour les aider à résister à la sécheresse de l'été.

Le soir qui précéda le départ de Mira-masi, Uma se glissa auprès d'elle. Sa tante était étendue de tout son long sur sa natte de roseau, et Uma, enhardie par l'obscurité, lui chuchota à l'oreille : «Masi, vous l'avez retrouvé, votre Seigneur ?» Elle avait remarqué que la statuette manquait toujours sur l'autel.

Mira-masi poussa un soupir si profond qu'il sembla que son cœur allait sortir de sa poitrine. Joignant les mains, elle commença à prier pour le retour de son Seigneur, de son amant, de son dieu qui lui avait été volé, d'une voix si poignante qu'Uma s'éclipsa pour ne pas l'entendre. Elle craignait que Mira-masi n'ait une crise d'hystérie.

Elle-même n'avait plus de crises, comme si, depuis son plongeon dans la rivière, ses attaques et ses convulsions avaient été emportées par le courant, la laissant sans forces, comme vidée. Elle savait qu'elles ne reviendraient jamais.

Le lendemain, sur le chemin de la gare, Mira-masi, qui semblait un peu plus forte et résolue, profita du moment où elle disait adieu à Uma pour lui chuchoter : «Je vais Le trouver. Attends un peu. Je vais aller de ville en ville, de temple en temple, d'ashram en ashram, jusqu'à ce que je Le trouve.»

Tante Lila, lors d'une visite, leur raconta la suite.

«Oui, oui, Mira l'a trouvé», dit-elle, secouée par un rire qui fit tinter ses bracelets. À Bénarès, dans une boutique d'objets en cuivre. Le marchand avait installé la statuette à la place d'honneur, sur une étagère, comme une divinité tutélaire, et, chaque matin, en ouvrant son magasin, il l'ornait de guirlandes et brûlait de l'encens devant elle.

Il n'avait aucunement envie de s'en séparer, et fut très inquiet en voyant Mira-masi se précipiter avec des sanglots de joie vers l'étagère. Il l'avait laissée entrer, l'ayant prise pour une cliente matinale à la recherche d'un pot de cuivre à emporter au fleuve, mais c'était son Seigneur qu'elle voulait, le Seigneur lui-même. « Il n'est pas à vendre. Allez-vous-en, s'il vous plaît, il n'est pas à vendre », répétait-il d'un ton suppliant, la croyant folle — les veuves démentes ne sont pas rares dans les rues de Bénarès —, mais Mira-masi se mit à faire un tapage si infernal dans la ruelle étroite de ce bazar surpeuplé que les passants s'arrêtèrent et s'attroupèrent, curieux de voir ce qui se passait. Mira-masi évoqua alors de façon dramatique la perte de son Seigneur, le songe qu'elle avait fait, lors d'un pèlerinage, dans un temple de l'Himalaya, où il lui avait été révélé que si elle allait à Bénarès, se rendait dans ce bazar, parcourait cette ruelle, elle Le trouverait. Et elle L'avait trouvé. Elle mimait ses pérégrinations, son rêve, la découverte, riant et pleurant à la fois ; la grande marque vermillon qu'un prêtre lui avait imprimée au front, le matin, s'étalait à présent et dégoulinait sur son visage ; tous hochaient la tête et convenaient que, dans ces conditions, puisque son rêve se réalisait, et que la prophétie s'accomplissait, alors le Seigneur lui appartenait. Le pauvre marchand, homme pacifique et, de plus, superstitieux, se sépara de la statuette.

« Après tout, il n'avait qu'à en acheter une douzaine exactement pareilles dans la boutique d'à côté ! » dit tante Lila en riant.

Mira-masi emporta son butin, traversa le bazar pour aller prendre le bain rituel dans le fleuve, suivie de toute la population du quartier qui criait : « *Har Har Mahadev !* »

Le bruit courait qu'elle était retournée dans le temple de l'Himalaya où elle avait fait ce songe, qu'elle y vivait, et se consacrait aux exercices de piété.

Uma écoutait avidement. Elle était si excitée qu'elle en avait les mains moites. Émerveillée par cette histoire, que tante Lila avait bien racontée, elle roulait des yeux ronds derrière ses lunettes. Mais, après avoir poussé un soupir de soulagement en entendant la conclusion de l'histoire, elle resta muette. Elle savait que mamanpapa ne lui permettraient jamais d'aller rendre visite à Mira-masi dans l'Himalaya ; il était inutile de le leur demander. Elles ne se verraient plus jamais.

Ce fut seulement dans l'obscurité de la nuit que l'idée que quelqu'un avait réalisé son désir lui arriva à tire-d'aile avec un bruissement qui l'éveilla, la frôla, la fit s'asseoir dans son lit pour l'entrevoir confusément avant qu'elle s'évanouisse dans la pâleur de l'aube ; le battement de ses ailes fut étouffé, dehors, par la cacophonie des mainates perchés dans les arbres inondés de soleil.

Maman se leva, plissa les yeux pour mieux voir dans la lumière éblouissante du matin, et dit enfin, sur le ton d'une mise en garde : « C'est le docteur Dutt.

— Le docteur Dutt ? » s'écria Uma, repoussant aussitôt le raccommodage qu'on lui avait donné à faire, et prête à se réjouir de cette visite.

Papa poussa un grognement irrité ; il ne faisait pourtant rien que le docteur pût interrompre. Cependant, il ne protesta pas ; le père de miss Dutt avait été autrefois président du tribunal ; il s'agissait d'une famille distinguée et, si la fille n'était toujours pas mariée à cinquante ans et qu'elle exerçait une profession, c'était une aberration qu'il lui fallait tolérer. En fait, papa était tout à fait capable d'affecter une attitude progressiste et occidentalisée quand cela était nécessaire — en public, en société, mais pas en famille, bien sûr. Il montra à quel point ses manières étaient libérales et courtoises en se levant, tandis que le docteur Dutt descendait de sa bicyclette, détachait le pan de son sari qu'elle avait relevé pour éviter qu'il ne se prenne dans la chaîne, et montait les marches d'un pas rapide et assuré.

On envoya Uma préparer de la citronnade pour la visiteuse, ce qu'elle fit avec enthousiasme ; elle ajouta une cuillerée supplémentaire de sucre, en chantonnant même, alors qu'elle en avait répandu une grande partie sur la table de la cuisine, ce qui lui valut une réprimande irritée de la part du cuisinier, qui lui rappela que c'était à lui qu'on demanderait des explications sur la consommation de tout ce sucre. Uma lui rit au nez et repartit avec la citronnade, qui déborda sur le plateau car elle sautillait de joie. La dernière fois qu'elle avait vu le docteur Dutt, c'était à la vente de charité de Noël ; elle avait acheté un paquet de cartes à son comptoir.

«... et cette nouvelle équipe d'infirmières est déjà installée dans le nouveau foyer, elles sont vingt-deux. Mais, à l'Institut médical, on vient seulement de s'apercevoir qu'on n'avait pas recruté de surveillante ou de gouvernante pour faire marcher la maison», disait le docteur Dutt à maman-papa, assis côte à côte sur la balancelle, qui l'écoutaient avec, sur le visage, la même expression dissimulant leur absence d'intérêt. Pourquoi leur parlait-elle du foyer des infirmières, de l'Institut médical, des dispositions qu'on y prenait ou non ? Ces propos ne concernaient ni leur famille ni leur cercle d'amis : comment pouvaient-ils les intéresser ?

Le docteur Dutt fit un signe de tête vers Uma, qui arrivait avec le plateau de citronnade. «Et, alors, j'ai pensé à Uma», reprit-elle. Celle-ci faillit laisser tomber son plateau et ne rétablit son équilibre qu'après que la moitié de la citronnade se fut répandue dessus.

Maman se redressa, tout agitée. «Tss... Regarde ce que tu as fait. Qu'est-ce que le docteur Dutt va penser de toi ? Va chercher un autre verre.

— Non, non, s'écria miss Dutt, qui prit le verre humide et à moitié vide. Je suis venue voir Uma, et parler à Uma. Je ne peux pas m'attarder car, en début de trimestre, nous sommes très occupés, vous savez. C'est pourquoi nous avons vraiment besoin qu'Uma vienne nous aider.

— Vous aider ? » dit Uma d'une voix étranglée, s'asseyant gauchement à côté du docteur Dutt, qui lui prit le bras d'une main ferme. « Vous aider ?

— Tu n'as pas entendu ? Tu n'as pas entendu ce qu'a dit le docteur Dutt ? demanda papa avec irritation.

— Non », dit Uma. Et la doctoresse revint rapidement sur la succession des événements survenus à l'Institut médical, qui avait un nouveau foyer, de nouvelles infirmières, mais personne pour s'en occuper pendant qu'elles étaient en stage de formation.

« Alors, tu vois, j'ai pensé à toi, Uma. Tu es une jeune femme qui n'a pas d'emploi, qui tient la maison de ses parents depuis si longtemps. Je suis sûre que tu serais tout à fait apte pour ce travail.

— Travail ? » balbutia Uma, qui n'avait jamais de sa vie visé aussi haut, et à qui cette idée paraissait aussi étrange que celle d'être projetée dans l'espace.

Papa paraissait incrédule et maman, scandalisée. Le docteur Dutt tenait toujours le bras d'Uma. « N'aie pas l'air si effrayée, dit-elle, encourageante. Je sais comme tu t'occupes bien de tes parents et comme tu as aidé Mrs. O'Henry. Je suis sûre que tu en es capable. »

Mais Uma n'en était pas sûre. « Je n'ai aucun diplôme, soupira-t-elle, aucune formation.

— Pour ce genre de travail, on n'a pas besoin de formation, lui assura miss Dutt, ni de diplôme. Fais-moi confiance : si la direction me pose des questions, je saurai arranger les choses. Vous serez d'accord, sir [1]? » Elle se tourna vers papa en souriant, comme si elle savait à quel point il adorait être appelé « sir ».

Mais, cette fois, papa ne parut pas remarquer cet honneur. Son visage était fermé et avait une expression d'intense mécontentement qui manifestait tout le mal qu'il pensait des femmes qui travaillaient, des femmes qui avaient l'audace de pénétrer dans *son* monde. Uma le savait et avait envie de rentrer sous terre.

« Papa... », dit-elle d'un ton suppliant.

Ce fut maman, toutefois, qui parla. Pour papa, comme d'habitude. D'une voix claire et catégorique : « Docteur, notre fille n'a pas besoin d'aller travailler au-dehors. Tant que nous serons là pour la faire vivre, elle n'aura pas besoin d'aller travailler.

— Mais elle travaille tout le temps! s'exclama le docteur Dutt d'un ton plutôt vif. Seulement, à la maison. Il faut que vous lui donniez maintenant une chance d'aller travailler dehors.

— Elle n'en a pas besoin. » Papa soutint le point de vue de maman. Réitéré ainsi, il prit un poids formidable. « Pourquoi en aurait-elle besoin?

— Ne faudrait-il pas demander à Uma ce qu'elle en pense? insista la doctoresse. Elle aimerait peut-être travailler au dehors. Après tout, il s'agit de mon Institut, d'un foyer féminin, elle serait avec d'autres femmes. Je me porte garante des conditions, qui sont parfaitement convenables, sir. Vous pouvez venir visiter le foyer, rencontrer les infirmières, juger par vous-même. Veux-tu venir, aussi, Uma? »

Uma hocha rapidement la tête. Consciente que son visage

---

1. Forme plus polie que « monsieur ».

se contractait de mouvements convulsifs, elle s'efforçait de contrôler son émotion. Elle savait aussi que ses parents avaient les yeux fixés sur elle. Elle bégaya : « Oui, s'il vous plaît, ouis'il vousplaît, ouisilvousplaît…

— Uma, emporte le plateau », dit maman.

Elle hochait toujours la tête, ses lèvres frémissaient : « Ouisilvousplaît.

— Uma », répéta maman, et, au ton de sa voix, Uma se leva, prit le plateau et alla à la cuisine. Elle se blottit dans un coin, derrière la glacière, enveloppant ses mains dans son sari, et répétant : « Silvousplaîtsilvousplaît… »

Quand elle retourna sur la véranda — prudemment, prudemment —, la doctoresse était assise bien droite dans son fauteuil de rotin. « Je suis désolée, dit-elle en s'adressant à Uma, désolée d'apprendre cela. »

D'apprendre quoi ? Quoi donc ?

Maman se levait ; elle descendit avec le docteur Dutt jusqu'au bas des marches où attendait la bicyclette. « Ce n'est pas trop difficile de pédaler avec un sari ? » demanda-t-elle avec un petit rire, en regardant d'un air entendu le bas déchiré et taché de graisse du sari de miss Dutt.

Celle-ci, sans répondre, rentra le pan flottant de son sari dans sa taille, puis s'attarda un instant, les mains sur le guidon, sans tourner la tête vers Uma, mais celle-ci l'entendit dire à maman : « Si vous avez ce problème, il faut venir à l'hôpital faire des examens. Au cas où une hystérectomie serait nécessaire, il vaut mieux agir rapidement. À quoi bon rester malade ? » Elle se jucha sur la petite selle en cuir rigide et s'éloigna. Ses roues écrasaient le gravier qui rebondissait en poudre rougeâtre.

Uma arrêta de se tortiller nerveusement les mains dans un

pli de son sari et regarda sa mère. Hystérectomie, qu'est-ce que c'était?

Maman remonta les marches et vint passer son bras sous celui d'Uma en la serrant affectueusement contre elle. « C'est comme ça que ma petite fofolle voulait s'en aller et abandonner sa maman? Quelle va être sa nouvelle lubie?

Après cette visite, le soir où mamanpapa retournèrent au club, Uma, restée seule à la maison, se glissa dans le cabinet de papa. Le téléphone qui, auparavant, était posé sur une table à trois pieds dans le salon, avait été placé ensuite sur le bureau de papa, et maintenant il était enfermé à clef dans un coffret en bois, mais Uma savait où papa cachait cette clef. Elle la chercha dans le plumier taché d'encre, au milieu de porte-plumes hors d'usage et de plumes cassées, ouvrit le coffret, puis composa rapidement le numéro privé du docteur Dutt, tout en se sentant coupable de la déranger chez elle un dimanche soir. Mais le temps pressait.

Le docteur Dutt parut en effet un peu contrariée d'être dérangée. « Oui, ma petite Uma, soupira-t-elle, je regrette que tes parents n'aient pas été d'accord, mais que pouvais-je dire lorsque ta mère m'a confié qu'elle n'était pas bien et qu'elle avait besoin de toi pour la soigner?

— Mais, docteur, cria Uma, maman n'est pas du tout malade! Pas du tout!»

Il y eut un moment de silence. La doctoresse réfléchissait-elle à la situation, ou était-elle en train de brosser un de ses chiens chéris, ou de boire une tasse de thé? Que faisait-elle, elle qui jouissait du luxe d'être seule? Debout sur un pied, Uma aurait donné cher pour le savoir!

La voix du docteur Dutt se fit entendre enfin, son ton était réservé. « Ça, je l'ignore encore. Nous saurons à quoi nous en tenir quand elle viendra subir des examens.

— Elle ne viendra pas, docteur, elle ne viendra pas. Je le sais. Maman se porte très bien ! Vous pouvez demander à papa.

— Ta mère n'aimerait peut-être pas beaucoup cela, Uma. »

Uma serra les dents pour ne pas laisser échapper le gémissement de colère et de révolte qui montait dans sa gorge, comme le sang qui afflue quand on vous arrache une dent. « Alors, supplia-t-elle, convoquez maman pour ces examens, dites-lui de venir. Sinon, vous verrez qu'elle ne viendra pas. »

Le docteur Dutt essaya d'apaiser Uma. « Attendons qu'elle vienne, et nous verrons ce qui ne va pas. S'il s'avère que tout va bien, nous pourrons peut-être reparler de cet emploi à l'Institut.

— Mais est-ce qu'il sera encore libre ? Et si l'Institut engage quelqu'un d'autre ? Vous ne pouvez pas demander à maman de venir tout de suite pour que je puisse avoir ce travail ? »

Le docteur Dutt soupira. « D'accord. Dis-lui de venir au téléphone et je vais lui parler.

— Elle n'est pas à la maison, dut avouer Uma.

— Oh… » Le docteur Dutt donna l'impression de poser bruyamment quelque chose, ou peut-être était-ce le fait de quelqu'un d'autre dans la pièce. « Je lui téléphonerai bientôt », promit-elle, et elle raccrocha.

Elle téléphona le lendemain, mais maman garda pour elle ce qu'elles s'étaient dit toutes les deux, et Uma ne pouvait le lui demander. D'ailleurs, elle était en disgrâce : elle avait oublié de ranger le téléphone dans son coffret ; la preuve de son crime, gisant sur le bureau, avait sauté aux yeux de papa dès qu'il était rentré du club.

«Ça coûte cher! Ça coûte cher! criait-il encore longtemps après. Elle n'a jamais gagné un sou de sa vie, elle m'a fait dépenser des fortunes en dots et pour son mariage. Eh oui, je me ruine pour elle, et je serai un jour sur la paille!»

## 13

Le dîner est terminé, la table débarrassée. Ils sortent sur la véranda et s'écroulent sur la balancelle qui semble flotter sur un océan d'air lourd, étouffant, soulevé par l'imminente mousson. Ils se balancent, oscillent, dans l'attente d'un souffle d'air, d'une accalmie dans cette chaleur oppressante, avant d'aller se coucher, quand soudain survient une panne : l'électricité, qui au mieux est déjà faible, est coupée et disparaît dans un abîme d'obscurité. Un grondement général s'élève dans tout le quartier — on ne l'entend pas vraiment, mais il est certainement palpable. C'est la consternation, l'indignation générales.

Mamanpapa, eux, on les entend aussitôt.

«Uma, va chercher des bougies, crie maman qui commence à s'agiter.

— Attendez, attendez, maman, la lumière peut revenir d'une minute à l'autre, bougonne Uma.

— Non, non, c'est une panne générale. Tu ne vois donc pas que même les lampadaires de la rue sont éteints ? La réparation va durer des heures.

— Il faut informer la sous-station. Vas-y, Uma, il faut les informer, dit papa.

— Vous voulez que j'aille jusqu'à la sous-station dans le noir? proteste Uma avec indignation.

— Ne parle pas comme ça. Va dire au mali d'y aller.

— Brrr, grommelle Uma en se levant lourdement. Il est sûrement en train de dormir.

— Eh bien, réveille-le.

— Mali! Mali!» hurle Uma de l'extrémité de la terrasse. Aucune réponse ne vient des ténèbres qui les entourent; elle descend alors les marches et va jusqu'à la pelouse. Il ne fait pas assez obscur pour qu'elle ne puisse distinguer le chemin familier, le long de la haie du jasmin qui fleurit la nuit, ou le buisson poussiéreux où s'épanouissent en grappes les lauriers-roses, ni le tronc du vénérable tamarinier. Ses pas font crisser le gravier clairsemé de l'allée qu'elle suit jusqu'à la cabane que le mali a construite pour lui près du robinet du jardin pour pouvoir le surveiller et en profiter au maximum. En fait, il ne le ferme jamais complètement : il le laisse couler goutte à goutte, grâce à quoi le sol autour de sa hutte reste agréablement humide et frais. La végétation prospère dans la moiteur de cet enclos, alors que tout le reste, dans le jardin, a péri, desséché par la chaleur de l'été. Un petit feu couve doucement, juste quelques braises dans une marmite, qu'il aime aussi maintenir en vie, comme le robinet du jardin. Tout autour, règne la forte odeur des galettes de bouse de vache qu'il utilise comme combustible et les effluves âcres du tabac qu'il fume dans sa pipe d'argile.

Le mali était jeune lorsqu'il est venu travailler chez eux. Il émerveillait les enfants par ses prouesses : il grimpait tout en haut de l'immense tamarinier pour enfumer les abeilles, les faire sortir de leurs rayons, qu'il descendait, pleins de miel sauvage. Il les distrayait avec des histoires sur la brève période de sa vie où il avait été dans l'armée. Maman était contente de lui car il lui apportait de temps en temps des corbeilles de tomates et de haricots, chassait les garnements qui accouraient autour des goyaviers quand les fruits étaient verts, et faisait peur aux petites filles qui voulaient cueillir des roses pour les offrir à leur maîtresse. Il est trop vieux à présent pour ce genre d'activités, pour une telle dépense d'énergie, et il somnole avec sa pipe jour et nuit.

Uma s'arrête à la limite du domaine privé du mali et pousse un cri formidable, terrifiant qui, à sa grande satisfaction, le réveille en sursaut. «*Ji*[1] *!*» crie-t-il en sortant à quatre pattes de sa caverne sombre, enfumée, malodorante, comme quelque insecte difforme, aux pattes arquées. Voyant que ce n'est qu'Uma, il lui adresse un sourire édenté de nouveau-né. «Qu'y a-t-il, Baby?

— Réveille-toi, réveille-toi, vocifère-t-elle. Ne dors pas tout le temps. Il y a peut-être des voleurs et des assassins par ici. Tu ne vois pas que l'électricité est partie?

— Partie?» Il jette autour de lui un regard interrogateur. Il a du mal à comprendre l'importance qu'a l'électricité dans la vie des autres gens, mais il est plein de bonne volonté. «Oui, elle est partie», acquiesce-t-il, hochant la tête par symphatie pour l'indignation d'Uma.

«Va à la sous-station leur demander combien de temps prendra la réparation, lui ordonne Uma. C'est le sahib qui l'a dit, ajoute-t-elle pour l'impressionner.

— Tout de suite, tout de suite! assure-t-il. Je n'en ai que pour une minute.» Il se retire dans sa cabane pour prendre un pan de tissu qu'il enroule en turban autour de sa tête, puis il part dans l'allée, clopin-clopant, son turban oscillant dans l'ombre comme une pâle et poussiéreuse ampoule. C'est un vieux ver luisant trottinant dans le noir.

---

1. «Oui».

«Gauche-droite, gauche-droite, lui crie Uma avec approbation. Tu es un jeune conscrit, mali, tu es un jeune conscrit!»

Son rire résonne depuis le portail, où il s'arrête pour faire un élégant salut militaire, mais ce rire est un gloussement de vieillard, fêlé et chevrotant; quant au salut, Uma ne le voit pas, elle est bien trop myope.

Elle retourne d'un pas hésitant à la véranda et à la balancelle, s'assied auprès de mamanpapa, et plonge le regard dans l'obscurité. Ils entendent des pas sur le gravier et, apercevant le reflet d'un vêtement blanc, ils s'écrient: «Mali! Tu y es allé? Qu'est-ce qu'on t'a dit?»

Mais ce n'est pas le mali. Une voix crie: «Un télégramme!

— Un télégramme?

— Un télégramme!»

Uma se hâte de chercher une torche électrique qu'elle braque vers l'homme pour éclairer ses pas jusqu'à la véranda, puis sur le registre où elle doit signer. Papa marmonne et maman, dans son agitation, fait claquer son dentier. C'est que l'événement n'est pas ordinaire.

Ils ouvrent l'enveloppe, en retirent une feuille de papier rose où sont collées des bandes dactylographiées; ils l'étalent pour la lire à la lueur de la torche au moment où, soudain, avec un bruit sourd, l'électricité revient, aveuglante, et éclaire le message: ANAMIKA EST MORTE.

Le mali remonte l'allée en criant: «*Bijli, bijli*[1], regardez, elle est revenue!» Il clame cela, le visage rayonnant d'une fierté édentée.

Personne ne répond. La nouvelle les a frappés comme l'éclair, bien que ce qu'elle révèle n'ait pas de réalité.

1. L'électricité.

Elle ne deviendra une réalité qu'avec les détails qui suivront.

Ils ont appris qu'Anamika s'était levée à quatre heures du matin, à peine plus tôt qu'elle ne faisait d'ordinaire pour accueillir le laitier qui venait livrer le lait à la porte de la cuisine. Si on l'avait entendue, on ne s'était pas étonné qu'elle fût levée à cette heure-là, c'était son habitude. Mais ce qu'elle avait fait ensuite n'était pas habituel. Elle avait coupé le gaz de la bonbonne, dans la cuisine, rempli un récipient de pétrole, déverrouillé la porte, et elle était sortie sur la véranda. Elle avait ôté ses vêtements de coton et drapé autour d'elle un sari de nylon qu'elle avait noué au cou et aux genoux. Puis elle s'était aspergée de pétrole, avait gratté une allumette et s'était embrasée.

À cinq heures du matin, sa belle-mère avait été réveillée par des gémissements. Un peu plus tôt, elle avait entendu tomber un bidon et avait pensé que c'était un chien errant qui fouinait dans les ordures devant la porte de la cuisine. Mais, alertée par ces gémissements, elle s'était levée et était allée voir à la cuisine ce qui se passait. Elle avait vu, à travers la porte grillagée, vaciller un petit feu sur la véranda. Elle était sortie et avait trouvé Anamika mourante, carbonisée.

Ce fut ce qu'elle dit à la police. Et à la famille d'Anamika.

Ce que dirent les voisins fut que c'était la belle-mère, peut-être avec la complicité de son fils, qui avait traîné Anamika sur la véranda alors qu'il faisait encore sombre, sans doute avant quatre heures, et qu'ils l'avaient ligotée dans un sari de nylon, inondée de pétrole, et brûlée.

Ce que dit le beau-père fut qu'il était en voyage d'affaires et n'avait appris la nouvelle qu'à son retour dans l'après-midi.

Ce que dit la belle-mère fut qu'elle avait toujours fait dormir Anamika à côté d'elle, dans sa propre chambre, comme si elle avait été sa fille, sa propre enfant. Seulement, cette nuit-là, Anamika avait insisté pour dormir dans sa chambre. Elle avait sans doute déjà tout prévu, combiné son plan.

Ce que dit la famille d'Anamika fut que c'était la fatalité, Dieu en avait décidé ainsi, c'était la destinée d'Anamika.

Quant à Uma, elle ne dit rien.

Les parents d'Anamika viennent, ils n'ont pu faire autrement, pour l'immersion des cendres de leur fille dans le fleuve sacré. Uma va les chercher à la gare avec papa ; maman les attend à la maison. À leur arrivée, ils s'asseyent tous ensemble, mais pas sur la véranda ni sur la balancelle rouge : sur le sol du salon où maman a fait étendre des draps blancs en signe de deuil. Mamanpapa essayent de convaincre les parents d'Anamika de manger, de se reposer, de parler, mais ils restent immobiles, silencieux, la tête penchée sur la poitrine. Oncle Bakul, qui marche toujours à grands pas, tête haute, avec un air d'invincible supériorité, semble à présent presque invisible : il s'est retiré dans un linceul gris de chagrin, tandis que papa a retrouvé son autorité, sa personnalité et montre qu'il peut être aux commandes. Tante Lila, qui les avait toujours impressionnés par sa sophistication, son élégance de citadine, et, il faut dire, son snobisme, s'est écroulée dans un coin et n'est plus qu'un tas de chiffons. C'est maman qui s'occupe de tout, elle est active, prévenante, témoignant sympathie et attentions. Uma est assise, les mains nouées autour de ses genoux et les yeux fixés sur la jarre d'argile qu'ils ont apportée, posée contre le mur et entourée d'une guirlande d'œillets d'Inde ; les mêmes fleurs sont éparpillées sur le drap blanc, devant la jarre. Elle essaye de se persuader que cette jarre contient les cendres d'Anamika, mais n'y parvient pas. Sa cousine avait eu quarante-cinq ans cette année, deux ans de plus qu'elle. Elle avait été mariée vingt-cinq ans, pendant lesquels Uma ne l'avait pas été. Maintenant, elle est morte, elle n'est plus qu'une jarre de cendres grises. Uma, étreignant ses genoux, sent qu'elle est encore chair et non cendres. Mais il lui semble n'être que cendres, cendres froides, incolores, immobiles.

Soudain, Uma fait un geste, elle pose la main sur le bras de tante Lila et demande : « La lettre, la lettre d'Oxford, où est-elle ? Vous l'avez…, vous l'avez brûlée ?

— Uma ! » s'écrie maman, horrifiée. Papa se râcle la gorge, c'est à la fois une menace et une mise en garde. Heureusement, les parents d'Anamika semblent n'avoir pas entendu, ou en tout cas n'ont pas compris : ils ne réagissent pas.

« Es-tu complètement folle, Uma ? siffle sa mère en l'entraînant hors de la pièce. Tu es folle de parler maintenant de cette lettre.

— Je voulais savoir », murmure Uma, avec entêtement.

Très tôt, le lendemain matin, la voiture les emmène au bord du fleuve. Un batelier, dans l'eau jusqu'aux genoux, stabilise pour eux son embarcation. On chicane sur le prix pendant quelque temps, un temps qui paraît à Uma intolérablement long ; papa intervient avec empressement, élève la voix, couvrant le bourdonnement des récitations des pèlerins qui sont alignés sur la rive ; certains ont de l'eau jusqu'aux chevilles, d'autres, jusqu'à la taille ; ils adressent leur prière au soleil, pâle disque blanc qui s'élève au-dessus de l'horizon dans un ciel voilé, plombé, terne. Uma se blottit dans son sari qu'elle a rabattu sur sa tête et ses épaules comme les autres femmes : elle voudrait tant que, pour une fois, papa s'arrête de marchander et qu'il paye. Pour une fois… Finalement, oncle Bakul sort de sa torpeur pour indiquer qu'il est prêt à payer le prix. «Alors, allons-y», bougonne papa, et il les presse de s'embarquer comme si c'était lui qui avait réglé l'affaire.

Les parents d'Anamika grimpent dans le bateau, lentement, péniblement, car c'est eux qui portent la jarre. D'autres membres de la famille les ont accompagnés depuis Bombay — mais Aruna n'est pas là, elle est à Singapour avec son mari pour faire des achats, ni Arun, qui ne peut évidemment pas interrompre ses études en Amérique, ni Ramu, qui est devenu ermite et ne communique plus avec qui que ce soit de la famille. Mamanpapa montent à leur tour, suivis d'Uma. Maman, dès qu'elle met le pied dans le bateau, commence à se plaindre : il ne lui paraît pas sûr, ils devraient en choisir un autre.

«Maman, assieds-toi», chuchote Uma, au supplice. Maman la regarde de travers et s'apprête à la gronder lorsqu'elle découvre qu'il y a de l'eau au fond du bateau; elle a les pieds mouillés, ce qui requiert en priorité son attention.

Mais, maintenant, il est trop tard pour faire quoi que ce soit; le batelier a écarté le bateau de la rive, lève et abaisse lentement sa perche dans la boue avec un grognement sonore à chaque mouvement. L'embarcation a viré de bord lorsqu'on entend quelqu'un appeler à tue-tête. Ils se retournent et voient un prêtre drapé dans une robe orange qui court sur le sable en agitant son bol à aumônes. Il lève un bras et crie avec colère : comment peuvent-ils accomplir la cérémonie funèbre sans lui? À quoi pensent-ils? N'ont-ils aucun souci des convenances? Sans lui, les défunts trouveraient-ils leur chemin vers la félicité du salut? Cet homme, furieux, hirsute, aux yeux rouges et accusateurs, debout sur la rive, les menace de tels malheurs que, de frayeur, la mère d'Anamika intervient et propose que l'on retourne le chercher. Le batelier manœuvre pour revenir au rivage. Mamanpapa s'indignent comme eux seuls savent le faire, mais ils sont bien obligés de se pousser pour faire une place au prêtre. Maman lui lance des regards irrités qu'il semble ne pas remarquer, et il avance, les pieds dans l'eau, escalade plusieurs bancs jusqu'à la proue où il s'assied avec un air de dignité offensée ; puis, sortant les instruments de sa profession, il commence à réciter les prières. Les parents d'Anamika essaient de prononcer les répons comme il le leur ordonne, mais en vain : ils ont la gorge sèche, les mots ne viennent pas.

Uma, une fois remise de l'agitation provoquée par cette interruption, oublie son chagrin. Le rythme des avirons — le batelier a mis de côté sa perche et rame maintenant qu'ils sont en eau profonde — est régulier et puissant. L'eau du fleuve unie comme du verre, gonflée par les pluies venant des montagnes d'où elle dévale, paraît solide, pesante, c'est une énorme masse de désolation qui les tient sur sa surface ondoyante ; en dessous, elle s'écoule rapidement et inexorablement. À présent, le bateau suit le courant, il s'éloigne de plus en plus de la rive, comme tiré par une corde invisible. Le soleil n'est plus le petit disque blanc semblable à un coquillage sur le sable, il est devenu en un moment une masse étincelante, un feu dans la pleine lumière du jour.

Les yeux d'Uma se posent alors sur les silhouettes prostrées assises dans le bateau, les parents d'Anamika, mamanpapa, d'autres proches. Et elle se rappelle : Anamika, Anamika…

Elle craint d'avoir poussé un cri et met sa main sur sa bouche, mais c'est un vanneau sur le rivage qui glapit frénétiquement. « Dis-tu, doutes-tu ? crie-t-il. Dis-tu, doutes-tu ? » Les passagers du bateau se penchent très bas : ils déposent la jarre sur le fleuve, sur le puissant et tourbillonnant courant où se rejoignent et se mêlent les deux fleuves[1]. Pendant un moment, la jarre semble rester à la surface de l'eau comme si elle reposait sur un panneau de verre ; puis elle s'enfonce. Elle reste visible un court instant, remonte brusquement comme un nageur qui tente de garder sa tête au-dessus de l'eau ; la guirlande d'œillets d'Inde flotte autour d'elle. Tandis que le bateau oscille et se stabilise, la jarre sombre enfin. Les fleurs flottent librement, et sont emportées par le courant.

Le batelier, simple spectateur, tient ses avirons en travers de ses genoux. La récitation du prêtre s'élève en un crescendo aigu jusqu'au moment où elle atteint une note triomphante. L'homme s'arrête alors tout à coup de psalmodier, vide par-dessus bord ses petits pots et récipients, les remplit à nouveau, s'essuie le visage avec un bout de tissu et dit au batelier : « Tu peux retourner maintenant, c'est fini. »

Uma sent soudain qu'une main serre très fort la sienne, c'est celle de maman. Elle se retourne et voit que celle-ci a les yeux fermés, et que des larmes roulent sur ses joues. « Maman », murmure-t-elle en lui pressant la main à son tour, et se disant : eux sont encore ensemble, ils peuvent se réconforter mutuellement. « Maman, dit-elle pour la consoler, j'ai ordonné au cuisinier de préparer des *pouris* aux pommes de terre pour le petit déjeuner et que ce soit prêt à temps. » Maman a un petit sanglot et serre encore plus fort la main d'Uma comme si, elle aussi, trouvait que les *pouris* aux pommes de terre étaient réconfortants ; comme si c'était un lien entre elles.

Le bateau vire lentement de bord, soulevant de grands tourbillons d'eau contre ses flancs. On retourne au rivage où les dévots sont encore debout en prières ou à se baigner ; à la

_____

1. Le Gange et la Jamuna, les deux fleuves sacrés de l'Inde.

lumière du jour, leurs silhouettes se confondent en une masse de gris et de brun. L'embarcation entre doucement dans l'argile molle de la rive, le batelier saute à terre pour la stabiliser et aider les passagers à descendre un à un. Ils posent le pied dans l'eau peu profonde et boueuse, se regroupent, plongent leurs pots de cuivre dans le fleuve et les vident sur leur tête et leurs vêtements, tandis que le prêtre entonne ses psalmodies.

Ceux qui ont accompli les rites remontent sur la rive sablonneuse et contemplent le spectacle. L'un d'eux prend la posture yoguique du salut au soleil, et se détache sur l'horizon avec la rigidité d'une grue. Un autre chante un hymne au soleil d'une voix nasillarde et aiguë d'oiseau. Quelqu'un a pris l'initiative de distribuer des friandises qu'il sort d'un panier.

Uma remplit son pot de cuivre dans le fleuve et le lève très haut au-dessus de sa tête. Puis elle l'incline et le vide sur elle ; l'eau trouble capte l'éclat du soleil et lance des flammes.

DEUXIÈME PARTIE

# 14

C'est l'été. Arun avance lentement dans l'abondante végétation de Edge Hill comme s'il passait avec prudence à travers d'énormes vagues sous lesquelles seraient dissimulés des objets inconnus. Dans la luxuriante exubérance de ce mois de juillet, des masses de verdure pendent et se balancent à chaque branche, chaque rameau. Parmi une telle surabondance, les maisons semblent perdues, échouées là comme elles l'auraient été lorsque ce pays était une forêt vierge. Le bois peint en blanc domine, mais il y a des maisons peintes en rouge sombre et d'autres en un gris militaire égayé d'encadrements blancs ; quelques-unes ont des portes et des volets jaunes ou bleus. Ces touches de couleur donnent une impression de courage, de nostalgie, rêves de livres d'images s'opposant sans conviction à l'environnement sauvage.

Devant beaucoup d'entre elles claque sur un mât le drapeau américain étoilé et rayé, comme un défi sur une terre nouvellement conquise. En revanche, des signes d'habitation plus domestiques viennent témoigner d'une colonisation vieille de plusieurs générations : piscines en caoutchouc abandonnées dehors par les enfants qui sont rentrés dans la maison, tricycles en plastique moulé et bicyclettes en acier, karts et planches à roulettes. Il y a des meubles et des statuettes de jardin : flamants roses en plastique posés sur le rebord d'une vasque, biches tachetées ou gnomes à chapeau pointu, tapis dans les rhododendrons tels des appâts disposés par les colons pour transmettre quelque message au menaçant arrière-pays.

Arun marche le menton baissé, nerveux comme quelqu'un qui s'aventure tout seul au-delà de la frontière, mais il lève les yeux sur toutes les fenêtres, des deux côtés de la route. Aucune d'elles n'a de rideaux. La plupart sont très grandes. Son regard peut plonger directement sur les éviers des cuisines, les pots de balsamine abondamment fleurie, les lampes, les décorations de verre qui se balancent. Il y a tant d'objets, et si rarement des personnes... Seulement une femme, parfois, qui traverse une de ces pièces éclairées, puis disparaît. On dirait qu'il se passe plus de choses dans les pièces plongées dans le noir où clignote la lumière incertaine d'un téléviseur. Ici, il aperçoit de vagues silhouettes blotties sur un canapé, ou étendues par terre. Là, les images multicolores d'un écran sautillent et s'agitent avec une animation mécanique qui n'a pas d'équivalent naturel. Les fenêtres sont closes, Arun n'entend pas un bruit.

De temps en temps passe une voiture sur la route, très lentement, car c'est une zone résidentielle et les ralentisseurs sont d'une hauteur démesurée, qui s'engage dans son allée privée. La porte du garage se lève avec un murmure obéisssant, voire obséquieux, et la voiture disparaît. Où ?

Arun est ignorant de tout. Il cherche autour de lui des empreintes de pas, des signes, des repères. Il examine les boîtes aux lettres qui longent l'avenue, se penche sur elles à la recherche de quelque indication, de quelque indice. Il remarque celles où est inscrit un nom et celles qui portent seulement un numéro. Si le courrier n'a pas été pris, il lorgne sur les journaux et les catalogues de vente par correspondance qui bourrent les boîtes pour déchiffrer le nom du destinataire.

Il avance sans se presser, remarquant les maisons où le jardin est encombré de jouets, pelles, seaux, battes et balles, et celles dont le jardin est soigneusement dessiné, petits parterres de fleurs éclatantes, bordés de pierres, perdus au milieu d'immenses étendues d'un gazon immaculé, haies bien taillées, mangeoires à oiseaux surveillées par des chats doués d'une patience meurtrière qui semblent peints sur place, en noir et blanc.

Le menton enfoncé dans son col, il médite sur ces présages, ces indices.

Une automobile survient soudain derrière lui, le frôle presque, comme intentionnellement. Il se hâte de sauter sur le bas-côté herbeux. La voiture le dépasse. Pourquoi a-t-elle fait cela? Les piétons sont-ils des hors-la-loi dans ce pays motorisé?

Il tourne dans Bayberry Lane et ce sont encore des pelouses pimpantes, des allées bien entretenues; la route descend maintenant jusqu'à la dernière maison, à la limite des bois qui montent sur la colline. Ici aussi, un drapeau rouge-blanc-bleu, dont la corde pend, immobile, dans le calme de cette journée d'été, se déploie sur son mât. La boîte aux lettres contient la dose habituelle de courrier publicitaire, trop volumineux pour mériter d'être ramassé. Ici, aussi, les grandes fenêtres panoramiques sont éclairées et les chambres vides, telles des scènes de théâtre avant que ne commence la pièce : mais y en aura-t-il une?

Il se dirige vers le côté de la maison et passe sous l'anneau d'un poteau de basket, invitation tacite à jouer. Il avance en traînant les pieds, se glisse, le dos rond, le long des buissons taillés au cordeau, regarde à travers la fenêtre de la cuisine et voit l'évier en aluminium, les placards, les torchons sur leur tringle.

Mrs. Patton est là. Elle est en train de vider plusieurs grands sacs de papier brun, pose les cartons et les barquettes sur le plan de travail, puis, lentement et après mûre réflexion, ayant tenu et observé pendant de longs instants chaque objet, elle le range. Arun continue à l'observer; elle fait une moue, met sa main, potelée et couverte de taches de rousseur, sur sa bouche avant de se baisser pour ranger les boîtes de nourriture pour le chat, ouvrir le congélateur, y entasser les surgelés dans les compartiments éclairés d'une lumière glaciale.

Elle s'immobilise maintenant, une boîte de tomates en conserve à la main, semblant hésiter sur ce qu'elle va en faire. Elle reste figée, le visage défait, comme une actrice qui a oublié son rôle. Au cœur de cette scène domestique, elle paraît néanmoins perdue.

Arun monte les marches, tapote à la porte du plat de sa main, la pousse et pénètre timidement à l'intérieur de la maison.

«Aa… run! s'écrie-t-elle avec un petit rire effrayé. Oh, Aa… run, répète-t-elle sur un ton différent, moins alarmé. Je suis contente que vous soyez rentré. Papa est revenu de bonne heure. Il prépare le dîner dans le patio.»

Arun hoche la tête d'un air sombre, car cela signifie qu'il y aura encore des steaks ou des hamburgers: l'odeur de viande crue que l'on calcine sur le feu aurait dû l'avertir. C'est l'odeur envahissante de toute la banlieue, les soirs d'été; il ne s'était pas aperçu que les Patton étaient en train d'y contribuer.

Mrs. Patton remarque son expression et pousse un petit

gémissement. « Qu'allez-vous manger, Aa… run ? s'inquiète-t-elle. Qu'allons-nous manger, vous et moi ? »

Que mangeront-ils ? Il lui lance un regard découragé. Ni l'un ni l'autre ne sont en mesure de changer la situation. Il a fallu qu'il tombe sur la seule personne de ce pays qui soit dans la même position que lui ; cela encourage la camaraderie, c'est indéniable, mais n'améliore pas forcément la situation.

Ils contemplent tous les deux la boîte de tomates, qu'elle tient comme si elle contenait la réponse. Remarquant le regard d'Arun, son visage s'éclaire. « Il y avait une promotion au Foodmart, confie-t-elle, trois boîtes pour un dollar. »

## 15

Une voix irritée se fait entendre du patio. « Personne ne s'intéresse au bar-be-cue ? »

Mrs. Patton serre un sac de laitue contre sa poitrine, et ses yeux, si doux d'ordinaire, revêtent soudain une expression farouche derrière ses lunettes sans monture. Arun reste immobile, comme elle. Puis elle murmure : « Vite, lavez-vous les mains, mon petit. Papa nous attend pour dîner. » Ce murmure est comme un ordre venu de quelqu'un d'autre tant il est impératif et éloquent.

Lorsque Arun va se laver les mains dans le petit cabinet de toilette niché sous l'escalier, où un évier est coincé entre une planche à repasser et un classeur, et une cuvette de cabinets, sous un rayonnage chargé d'outils de jardinage et de pesticides, il remarque une sandale vide au bas de l'escalier, qui dépasse un peu de derrière la rampe.

En sortant du cabinet de toilette, les mains encore humides, il regarde à nouveau la sandale avec curiosité. Elle ne bouge pas, et il ne peut s'empêcher de demander d'une voix rauque : « C'est toi, Mélanie ? »

La propriétaire de la sandale ne répond pas, mais froisse un sac en papier qu'elle tient sur les genoux. Il revient en arrière et la trouve assise sur la dernière marche, occupée à puiser une poignée de cacahuètes salées dans l'énorme sac. Vêtue d'un short en jean et d'un tee-shirt d'un rose passé, elle est assise dans la pénombre lugubre de l'escalier et mâche ses cacahuètes avec une régularité obstinée. Ses yeux ne sont plus que des fentes vertes cerclées de rose. A-t-elle pleuré? Elle paraît plus maussade que larmoyante. C'est son expression habituelle; Arun se dit qu'il ne lui en a jamais connu d'autre.

«Ton père nous appelle pour le dîner», marmotte-t-il en baissant le regard sur le pied nu de Mélanie, à côté de la sandale poussiéreuse et vide.

Pour toute réponse, elle plonge de nouveau le poing dans le sac qu'elle froisse bruyamment, et en retire une autre poignée de cacahuètes. Elle reste muette, mais le bruit qu'elle fait en les croquant est peut-être une réponse — qu'elle réussit en fait à rendre éloquente, provocante.

Le dos plus voûté encore que d'habitude — cet incident vient à la suite de ses nombreuses tentatives infructueuses d'engager une conversation avec Mélanie —, il sort, par la porte de la cuisine, sur ce que la famille appelle le patio. Au fond, juste sous les branches étendues d'un vaste épicéa, Mr. Patton a installé le gril devant lequel il officie, affublé d'un long tablier à carreaux rouges noué autour du cou et lui descendant jusqu'aux genoux; la poche a une inscription en lettres brodées : Texas Bar and Grill. Il brandit une spatule et attend que sa congrégation se réunisse.

C'est une congrégation réduite à deux personnes, hésitantes et peu empressées.

«Où est Rod? demande-t-il. Et Mélanie?»

Mrs. Patton et Arun échangent un regard furtif; Mrs. Patton s'avance bravement comme si elle s'offrait au martyre.

187

«Chéri, dit-elle d'une voix apaisante, je suis sûre qu'ils vont arriver d'un instant à l'autre.

— Ils savent bien que je suis rentré de bonne heure pour leur préparer le dîner!» Mr. Patton a l'air irrité d'un pasteur qui ne comprend pas pourquoi sa congrégation est en baisse. Sa lèvre inférieure est humide comme celle d'un bébé, et ses mains sont aussi étonnamment lisses et soignées. «J'ai fait ce que j'avais à faire, j'ai pris la voiture et je suis rentré à la maison une demi-heure plus tôt que d'habitude pour faire mariner les steaks, et eux, ils ne sont même pas capables d'être à l'heure pour manger.»

Arun regarde ses chaussures que le long trajet qu'il a fait pour rentrer de la ville a couvertes de poussière; il s'abstient prudemment de lui signaler que Mélanie est dans la maison, en train de se bourrer de cacahuètes. Il attend le moment redouté où il devra, une fois de plus, avouer ce qu'il souhaiterait n'avoir jamais à avouer. Mrs. Patton le fera-t-elle à sa place? Sera-t-elle assez courageuse pour qu'il n'ait pas besoin de parler, de se dévoiler publiquement comme étant indigne, comme ne méritant pas de prendre l'hostie sur sa langue, le vin dans sa gorge?

«Allons, apportez-moi vos assiettes», dit Mr. Patton à ses communiants récalcitrants, d'un ton qu'il voudrait jovial mais qui ne fait que trahir son impatience.

Mrs. Patton s'avance, son assiette devant elle. Elle se tient bien droite devant le gril, s'efforçant de rester impassible, mais il est clair qu'elle est tout à fait consciente de la gravité de la cérémonie. «Merci, chéri», dit-elle en recevant un pavé de viande grillée sur son assiette qu'elle incline légèrement pour que la graisse et le sang se répandent tout autour.

«À toi, maintenant, Aa... run, ordonne Mr. Patton, qui glisse sa spatule sous un autre pavé de viande noircissant sur les braises. Ce morceau est juste ce qu'il te faut, Red. » Il plaisante gentiment avec ce garçon nerveux, nouveau venu dans sa congrégation, qui n'est pas encore sauvé, mais sûrement en voie de l'être. Arun a commis l'erreur de dire un jour aux Patton que son nom signifie *red*[1] en hindi, et pour Mr. Patton c'est devenu un sujet de plaisanterie, d'autant plus que son fils s'appelle Rod. Arun n'a heureusement pas expliqué que son nom s'applique spécialement à la couleur rouge du ciel au lever du soleil, sinon Mr. Patton l'appellerait maintenant Dawn[2].

Instinctivement, Arun fait un pas en arrière et croise même ses mains dans le dos. Une sorte d'adhésion obstinée à sa propre tribu s'affirme et l'empêche de se convertir. «Oh…, je prendrai seulement un petit pain et… de la salade», balbutie-t-il, en baissant la tête tant il est embarrassé.

Mr. Patton lève un sourcil, avec lenteur, d'un air significatif; il tient sa spatule en l'air pendant que le steak crépite d'indignation devant ce refus.

Mrs. Patton se hâte de venir à la rescousse, mais trop tard. «Ah… run est végétarien, chéri.» Et, sa voix n'étant plus qu'un murmure, elle ajoute : «Comme moi…»

Mr. Patton n'entend pas le murmure, ou n'en tient pas compte; il ne répond qu'à ce que sa femme a dit en premier. «OK, maintenant je m'en souviens, dit-il enfin. Ouais, tu me l'as dit un jour. Simplement, je ne vois pas comment on peut refuser un bon morceau de viande, c'est tout. Ce n'est pas normal. Et ça coûte…»

Mrs. Patton tente alors de détourner son attention; elle va et vient dans le patio, se sert de pain et de moutarde, tout en

1. «Rouge».
2. «Aube». C'est, en anglais, un prénom féminin.

disant précipitamment : « Chéri, Aa… run nous a déjà tout expliqué, tu sais bien, sur la religion hindoue, les vaches, tout ça… »

Mr. Patton secoue la tête, tristement déçu par une telle faiblesse morale ; il tourne et retourne le pavé de viande. « Ouais, je sais qu'on les laisse en liberté dans les rues parce qu'on ne peut pas les tuer et qu'on ne sait pas qu'en faire. Je pourrais leur montrer. Une vache est une vache, et pour moi, c'est de la bonne viande rouge.

— Oui, chéri, roucoule Mrs. Patton pour le calmer.

— Et cette viande-là ne sera plus que du charbon », se lamente Mr. Patton en tapotant le steak carbonisé.

Arun accompagne Mrs. Patton vers la table où il y a des saladiers de laitue et des petits pains. Tristement, il se résigne à se servir de ces nourritures méprisables, se demandant une fois de plus comment il a pu se laisser embarquer dans cette farce à répétition — les cérémonies d'autres tribus paraissent sans doute toujours ridicules ou choquantes —, qui lui est aussi désagréable que ce qu'il se rappelle de la maison familiale. En pensant au visage de son père à table, indifférent, morose, grave et désapprobateur, il sent qu'il doit rassurer Mrs. Patton comme il l'aurait fait avec sa mère : « Je mangerai le petit pain et la salade. »

Mr. Patton ne dit rien. Il prélève sur le gril, avec sa spatule, de petits morceaux de viande roussie qu'il fait tomber dans son assiette, cruellement conscient de l'échec du sacrement de cette nuit d'été.

Mrs. Patton s'installe sur une chaise de toile et fait semblant de manger son steak en le tapotant avec sa fourchette. « Mmm… c'est rudement bon, murmure-t-elle. Rod et Mélanie ne savent pas ce qu'ils ratent. »

Ces mots font sursauter Arun. N'apprendra-t-elle jamais

que le mieux est l'ennemi du bien ? Elle n'a pas, semble-t-il, l'instinct de survie si développé de sa propre mère qui, elle, recourt à la dérobade. Il joue un peu avec les tranches de tomate et les feuilles de laitue — depuis qu'il est en Amérique, il a pris en grippe toutes ces nourritures crues que tout le monde, ici, estime être le régime normal d'un végétarien —, puis risque un coup d'œil dans la direction de Mr. Patton. Comme il s'y attendait, celui-ci a une moue mécontente et irritée tout en coupant, en sciant un morceau de viande qui, pour Arun, est non seulement crue, mais vivante ; le sang s'écoule sur l'assiette de Mr. Patton. L'air est obscurci par la fumée du barbecue qui s'éteint et le crépuscule qui commence à tomber et que ce sang souille et blesse.

Le rectangle bleu de la lampe électrique qui pend d'une branche de l'épicéa, au-dessus du barbecue, est bombardé par les insectes que le soir fait surgir de la végétation environnante. Ils se ruent contre lui comme des païens dans la frénésie de leur fausse religion, et meurent avec de petites détonations aiguës. La soirée est ponctuée de ces morts sans rédemption.

# 16

La chambre allouée à Arun dans la résidence universitaire durant le premier semestre de ses études en Amérique se trouvait au fond du campus, au cinquième étage d'un bloc qui en comportait quatorze. Il la partageait avec un étudiant originaire de Louisiane, muet la plupart du temps, qui restait étendu sur son lit, enchaînant cigarette sur cigarette et remplissant la petite cellule de béton d'une fumée jaune et épaisse qui provoquait chez Arun des crises d'asthme. Ce jeune homme avait un gobelet à café avec cette inscription : «Si tu dors, tu es fichu»; il ne s'en servait que comme cendrier, et restait parfaitement indifférent à ce message qui sautait aux yeux d'Arun chaque fois qu'il regardait involontairement dans sa direction.

La chambre se trouvait au bout d'un long couloir couvert de graffitis gribouillés à l'encre, au fusain, à la peinture en bombe, au rouge à lèvres, et même avec des excréments. L'unique fenêtre, un rectangle de verre sans rideaux, donnait sur le parking. De son bureau, avec cette morne perspective sous les yeux, Arun voyait les étudiants partir dans leur voiture, laissant derrière eux des flaques d'essence et de cambouis. Le vendredi soir, même cet endroit désolé explosait littéralement. Les étudiants jetaient des boîtes de bière par la fenêtre, parfois même des sacs-poubelle remplis de ces boîtes, et les bouteilles étaient lancées avec violence sur le sol pour qu'elles se cassent le plus bruyamment possible. Les mornes week-ends d'Arun était ponctués de brutales éruptions de musique qui sortaient d'énormes sonos installées sur le campus. Elles donnaient l'impression d'être des voix hurlant d'un autre monde, d'une autre civilisation :

*Hé, hé, baby, j'peux pas te lâcher*
*M'fais pas d'embrouilles,*
*Ha, ha, ha, j'ai trop le cafard.*

Le volume sonore créait une barrière, une clôture le séparant des autres — c'étaient les briques d'un mur qui le maintenait à l'extérieur.

Il en était presque de même aux cours auxquels il assistait. Lorsqu'il avait fait du regard le tour de la salle et des étudiants, et remarqué un jeune homme aux cheveux tressés en natte, une femme d'un certain âge qui portait toujours une casquette de baseball sur ses cheveux gris et courts, une jeune fille qui vidait voracement des paquets, des cartons de nourriture, des bouteilles de liquides de couleur, qui dévorait bonbons et chewing-gums et terminait son repas par une banane très mûre ou une orange à moitié pourrie, sa réaction immédiate était de les rejeter tous en bloc comme alliés ou amis éventuels. Après quoi, il pouvait se plonger dans ses livres, se dissimuler derrière ses verres épais et s'estimer justifié de ne pas frayer avec qui que ce soit. Un jour, il était tombé par hasard, à la cafétéria, sur la femme âgée qui suivait le même cours de géologie que lui ; il n'avait pas remarqué qu'elle était assise à la table où il avait déjà déposé son plateau, et il était trop tard pour changer de table sans être impoli.

Elle lui adressa un large sourire. «Aujourd'hui, j'ai manqué le cours, lui dit-elle. Je viens de rentrer du centre médical. Il fallait que j'y aille pour mon contrôle.

— Ah, vous êtes malade? se sentit-il obligé de lui demander.

— J'ai un cancer, dit-elle avec une fierté professionnelle, de l'utérus. On l'a détecté à temps parce que j'allais régulièrement faire faire des frottis, et j'ai eu de la chimio. C'est pour ça que j'ai perdu mes cheveux.» Elle retira sa casquette de baseball, et dévoila sa calvitie. Arun resta figé d'horreur, mais elle le rassura en riant. «Ils repoussent, maintenant, sauf sur cette petite plaque. Mon mari voudrait que je porte une perruque, mais je lui ai dit, bon sang! je me fiche d'être séduisante et tout ça. Pour moi, l'important, c'est de m'instruire.» Elle posa avec fierté la main sur son cartable comme si elle prêtait serment d'allégeance. «Il ne comprend pas. Les gens ne savent pas toujours ce qui est essentiel dans la vie. Mais vous, dans votre pays, vous savez ça mieux que nous.» Elle élargissait soudain sa réflexion pour l'impliquer.

Arun fut aussitôt pris de panique; la paille, dans sa bouteille de coca, se courba sous la pression de ses doigts et, dès qu'il le put, il prit la fuite. Cette femme lui avait confirmé que ce que contenait chaque cellule de son corps, c'était son refus de se laisser impliquer.

Il résistait même aux avances de ses compatriotes, qui formaient un petit ghetto au treizième étage de la résidence, où, enfreignant le règlement, ils pouvaient cuisiner sur un réchaud électrique les plats épicés qui leur manquaient tant, et accompagner en chantant les cassettes de musique indienne, leur bien le plus précieux. Quand ils l'invitaient à les rejoindre pour partager un repas qu'ils avaient préparé eux-mêmes ou pour regarder un film de Bombay trouvé dans le magasin local de vidéos, Arun prétextait toujours qu'il avait un examen à préparer.

Ils ne lui en avaient pas moins fait généreusement cette offre vers la fin du semestre : « Si tu veux, tu peux venir habiter avec nous. Nous allons louer une maison pour l'été. En partageant le loyer, ça coûtera moins cher. »

Arun prétendit qu'il avait d'autres projets. Pas entièrement confirmés, marmotta-t-il, il les tiendrait au courant.

La vérité, c'était qu'il n'avait aucun projet, mais seulement l'espoir que son séjour aux États-Unis se poursuivrait de la même manière, qu'il pourrait toujours partager une cellule avec un étudiant muet dont le visage disparaissait derrière un écran de fumée, qu'il continuerait à assister à des cours où le professeur ne connaîtrait jamais son nom, à trouver à se nourrir dans une obscure cafétéria où personne n'essayerait de s'asseoir à côté de lui.

Pour la première fois de sa vie, il était loin de chez lui, loin de mamanpapa, de ses sœurs, des vieux bungalows du voisinage aux jardins poussiéreux et aux haies mal entretenues qui l'avaient vu grandir, de la seule ville qu'il eût connue ; il faisait enfin l'expérience de l'entière liberté que donne l'anonymat, l'absence totale de famille, d'obligations, de besoins, de demandes, de liens, de responsabilités, d'engagements. Il était Arun. Il n'avait ni passé, ni famille, ni patrie.

Cet été en Amérique s'ouvrait devant lui, clair et vide. Arun était bien décidé à ce qu'il restât ainsi.

## 17

Il y avait malheureusement un problème dont il n'avait pas tenu compte.

Les étudiants étaient tous obligés de quitter la résidence, car l'université avait besoin des chambres pour les cours d'été et les conférences dont elle tirait un profit appréciable ; Arun devait donc s'installer ailleurs pendant les vacances.

Après avoir décliné l'offre de ses compatriotes, il fut contraint de chercher une chambre tout seul. Il ne souhaitait qu'une seule pièce, dans un immeuble banal, quelque part où il ne risquerait pas de rencontrer une connaissance. Il commença à parcourir les offres de chambres à louer dans le journal local.

L'une d'elles se trouvait au fond d'un garage, cloisonné pour former une sorte de niche à chien, dont l'unique fenêtre était un long panneau étroit, placé très haut sous les poutres. Arun ne fut pas rebuté par de telles conditions, mais ce qui le fit fuir, ce fut d'apprendre qu'il aurait à traverser la maison du propriétaire pour accéder à la salle de bains et à la cuisine. Il battit précipitamment en retraite.

Une autre chambre se trouvait dans un hameau perdu dans les bois, où il serait tout seul avec le propriétaire et sa femme dans un minuscule bungalow entouré de kilomètres de conifères. On l'accueillit avec de grands sourires, mais il prit la fuite comme s'il était tombé sur un nid de guêpes.

Il se rendit au centre social, sur le campus, et, avec d'autres étudiants assis à une longue table, il feuilleta les fiches marquées «Chambres ou appartements à louer» qu'on se passait l'un à l'autre. Il y avait un téléphone à l'extérieur de la salle, d'où l'on pouvait appeler les numéros indiqués sur les fiches — tant qu'on avait suffisamment de pièces de monnaie en poche.

Quand vint son tour de téléphoner, Arun tomba d'abord sur un fermier qui louait une chambre dans le grenier de sa grange, moyennant une aide pour faire les foins, mais, ne sachant pas conduire de voiture, et encore moins un tracteur, il raccrocha. Puis sur une mère célibataire logeant dans un appartement de deux pièces et qui offrait le divan du living-room en échange d'heures de baby-sitting auprès de son fils de deux ans. Enfin sur trois femmes qui partageaient un studio et cherchaient quelqu'un pour diminuer leur part de loyer ; elles offraient un divan à côté de leurs lits et ne comprirent pas pourquoi Arun ne voulait même pas venir jeter un coup d'œil.

Son rêve d'une chambre indépendante dans un appartement ou un immeuble où personne ne le connaîtrait ou lui parlerait, s'écroulait.

C'est alors qu'arriva l'aérogramme de sa famille, soigneusement calligraphié par Uma de son écriture enfantine, carrée et régulière, mais dicté, bien sûr, par papa. Il lui apportait une nouvelle si inattendue qu'il dut le relire deux fois avant de le comprendre : Mrs. O'Henry, l'épouse du missionnaire baptiste de leur ville (il était le directeur adjoint de l'école où Arun avait fait ses études et il avait écrit une lettre de recommandation pour l'aider à obtenir une bourse aux États-Unis), avait une sœur qui habitait dans une banlieue de la ville où il se trouvait. Elle lui avait signalé les difficultés qu'avait Arun pour trouver un logement pendant l'été — ils en parlaient donc jusque *là-bas* ? Ne s'arrêteraient-ils *jamais* de parler de lui, de comploter, d'organiser sa vie ? La sœur avait répondu en offrant une chambre dans sa maison. Il fallait qu'Arun lui téléphone et qu'il « finalise » — c'était le terme dont papa s'était servi — cette gentille et généreuse proposition, qu'il ne fallait pas rejeter.

Arun fut aussitôt accablé par le souvenir de sa famille qui avait pris possession de lui, l'avait forcé à s'asseoir à son bureau d'écolier, lui avait fourré des manuels sous le nez, ce même nez qu'on pinçait pour lui faire avaler de l'huile de foie de morue, qui l'avait nourri de force avec des Arun par-ci, Arun par-là, juste une petite bouchée…

Il se débattit, mais sombra tout de même.

Il parla si bas au téléphone que Mrs. Patton l'entendait à peine. « Oh, là là, la ligne est bien mauvaise, dit-elle d'une petite voix aiguë, je vous entends mal.

— Hum… Je…, je travaille à la bibliothèque, c'est très loin de chez vous…

— Mais non, mais non, dit-elle, de la même petite voix aiguë, il y a un service d'autobus, vous savez. Vous pouvez en prendre un jusque chez nous. C'est très joli ici, vous vous y plairez, et j'ai deux enfants, à peu près de votre âge, je crois. »

Il porta la main à sa bouche pour étouffer une nausée.


Mrs. Patton lui donna une chambre agréable et lumineuse, au premier étage de sa maison sur Bayberry Lane. Le lit était blanc, comme la commode, comme le tapis sur le sol et les rideaux à la fenêtre d'où on avait vue, à travers les branches d'un érable, sur une pelouse qui montait jusqu'au bois. Quand elle le laissa, après lui avoir montré le placard et les cintres, il resta à la fenêtre pour observer un écureuil à longue queue qui était apparu, et s'était assis sur le gazon ; il paraissait écouter ou guetter quelque chose qui se passait dans le bois et qu'Arun ne pouvait ni voir ni entendre, puis il bondit sur ses quatre pattes et fila vers les arbres. Le bois sembla se rapprocher, encercler la fenêtre, regarder à l'intérieur de la chambre. Voyant la cordelette du store pendre devant lui, Arun tira dessus : le store s'effondra brusquement et la chambre fut plongée dans l'obscurité. Il tira de nouveau sur la cordelette pour faire remonter un peu le store du rebord de la fenêtre, mais ne réussit qu'à le faire retomber encore plus bas ; entièrement déroulé, il pendait maintenant de la tringle sur toute sa longueur.

Arun eut peur d'avoir cassé la cordelette, qui pendrait peut-être toujours là pour l'accuser ; se sentant coupable, il sortit sans bruit sur le palier. La porte de la salle de bains était ouverte. Il vit un coin de la baignoire, un pan du rideau de douche, une étagère encombrée de brosses à dents, de tubes de dentifrice aplatis, de pots de crème de beauté. Les autres portes étaient fermées. Sur l'une, il y avait le fanion d'un club sportif de Boston ; sur l'autre, une longue éraflure et des éclaboussures de vernis à ongles.

La gorge serrée, Arun descendit à la cuisine et demanda à Mrs. Patton s'il y avait des animaux sauvages dans le bois.

«Des animaux sauvages ?» s'étonna-t-elle. Elle faisait couler de la gelée d'une cuiller à long manche. Puis elle éclata de rire. «Mais oui, gloussa-t-elle, des tas, à deux pattes. Ils aiment aller jouer là-bas après l'école ; il y a un endroit où l'on peut nager tout en bas de la colline. L'été, les gosses y vont tous. Ce n'est pas un *vrai* bois, expliqua-t-elle. Pour trouver une vraie forêt, il faut aller jusqu'à Quabbin. Par ici, il n'y a que… que des arbres». Elle sourit et fit un petit geste de la main qui projeta en l'air des gouttelettes de gelée rose.

Arun frissonna involontairement en les sentant sauter sur lui en grésillant.

«Je crois, dit-il brusquement, que j'ai cassé le store.»

# 18

Il se passa alors une scène embarrassante, mais qui n'avait rien à voir avec le store : Mrs. Patton avait écarté l'incident comme trop insignifiant pour qu'on en parle. Mais elle lui dit d'un ton navré : « Il vous faudra bien sûr votre nourriture habituelle, mais je sais que je ne pourrai pas vous la préparer ; ma sœur m'a raconté dans ses lettres à quel point votre alimentation est différente de la nôtre. Elle vit là-bas, oh, depuis au moins vingt ans et elle m'écrit des lettres étonnantes. Je suis soufflée de tout ce qu'elle me dit. Mince !

— Ah oui ? » marmotta Arun, qui se demandait comment il affronterait l'épreuve de prendre part aux repas de cette famille étrangère et de leur raconter lui aussi des histoires étonnantes. « Je pourrai manger en ville quand j'irai travailler à la bibliothèque, et avant de rentrer à... le soir. »

Elle fut à la fois horrifiée et soulagée — c'était évident pour Arun, car le visage de Mrs. Patton était le plus transparent qu'il eût jamais vu, elle n'avait aucune arrière-pensée. Il savait qu'il lui suffirait d'insister un peu pour qu'elle accepte sa proposition, et il pourrait alors, dans un bienheureux anonymat, continuer à fréquenter la cafétéria, ou à s'acheter un sandwich qu'il mangerait sous un arbre.

Il essaya d'établir une sorte de routine qui lui permette de réaliser ce projet, mais il fut bientôt évident que ce n'était pas vraiment réalisable. Il travaillait à la bibliothèque à des heures irrégulières qui n'incluaient pas toujours le moment du déjeuner, ou ne duraient pas jusqu'au dîner et, quand il était chez les Patton, il ne pouvait pas retourner en ville à pied seulement pour un repas — pendant l'été, le service déjà insuffisant des autobus avait été réduit au minimum (ce que Mrs. Patton ne pouvait pas savoir car elle n'y recourait jamais), ou alors il passerait le plus clair de ses journées à se traîner sur les grandes routes, sautant sur les accotements gazonnés pour éviter les voitures qui filaient comme le vent et lui faisaient avaler leur poussière et leurs quolibets.

Un après-midi poussiéreux, où il revenait en se traînant, il était entré par la porte de la cuisine après s'être essuyé les pieds sur le paillasson. Dès qu'elle le vit, Mrs. Patton posa ses mains, bronzées et carrées, à la peau flasque et ridée, sur la table. À l'une, elle portait une montre et une alliance en or, à l'autre, une bague ordinaire en argent; ses ongles n'étaient pas vernis. Appuyant le bout des doigts sur la table en bois, elle regarda Arun bien en face et lui parla.

«Non, Aa... run, vous ne pouvez pas continuer à aller en ville à pied pour chaque repas. Eh bien, que dirait ma sœur! Ça ne peut pas durer. Il est clair qu'il faut que vous prépariez vous-même vos repas et que vous mangiez ici. Je sais que ma cuisine ne vous conviendrait pas, ma sœur m'a prévenue, mais si vous m'expliquez ce que vous aimez manger, j'essaierai de faire la cuisine à votre idée. Il faut seulement que vous me montriez.»

Il lui lança un regard malheureux : devant tant de gentillesse, tant de bonté, comment pourrait-il se défendre? «Je suis sûr que j'aimerai votre cuisine, Mrs. Patton », dit-il d'une voix étranglée.

Elle le dévisagea avec un étonnement enfantin. « Vous croyez vraiment ? Je ne fais que de la cuisine familiale, vous savez.

— Oh, Mrs. Patton, murmura-t-il, je..., je suis végétarien. »

Le visage engageant de Mrs. Patton se glaça, puis se ferma. Elle sembla effrayée.

« Je ne mange pas de viande », expliqua-t-il, le visage empourpré. Tout était encore plus compliqué qu'il ne s'y attendait, la vie, le voyage, la fuite, la reprise en main.

Mais tandis qu'il avait les yeux fixés sur ses souliers, constatant qu'ils étaient couverts d'une épaisse couche de poussière, elle avait changé d'humeur et foncé sur une autre idée ; Arun l'entendit s'écrier d'une voix claire et joyeuse : « Mais je trouve que c'est merveilleux, oui, vraiment. Ma sœur m'a dit que beaucoup d'Indiens sont végétariens. J'ai toujours eu envie de l'être, j'ai toujours eu horreur de la viande, oh, cette chose rouge, crue, qui a une *odeur*! J'ai toujours, toujours détesté la viande, mais je n'ai jamais osé refuser d'en manger, je ne savais pas comment faire, vous savez, ma famille n'aurait pas été d'accord. Mais j'ai toujours préféré les légumes. Ça, oui, tous ces magnifiques légumes, ces fruits, qu'on trouve au marché, ils sont si *beaux*, si *bons*. Ça me suffirait comme nourriture. Arun, vous et moi, nous serons végétariens, tous les deux. Je cuirai les légumes et nous les mangerons ensemble...

— Oh, non, dit Arun en s'efforçant de rire, vous n'êtes pas obligée...

— Non, non, non, je n'y suis pas obligée, mais j'y tiens. Maintenant que j'ai un végétarien dans la maison, c'est le moment de le devenir moi-même. Vous savez, tous les deux... » Elle riait de bon cœur, d'un rire complice. « Vous savez, je n'aurais pas pu le devenir à cause de papa et des enfants. Papa, il l'aime, sa viande, et Rod, eh bien, Rod a besoin de toutes les protéines possibles pour son haltérophilie et son jogging. Et Mélanie, ah, Mélanie! Non, non, ils ne mangent même jamais de légumes. Mais maintenant que vous habitez avec nous, je vais enfin en préparer... »

Elle continua à discourir avec autant de gaieté et d'ardeur que si elle avait découvert un nouveau jouet. Arun était perplexe devant cet enthousiasme; il se demandait comment il avait pu le provoquer, lui qui n'en éprouvait aucun.

« Nous irons ensemble dans les magasins, disait-elle, et nous ferons des provisions... de céréales, et d'épices, de tout ça. Vous me montrerez comment préparer un repas végétarien. Ce sera mon été végétarien », conclut-elle en riant de plaisir.

# 19

Et ils commencèrent à courir les magasins. Mrs. Patton conduisait Arun dans sa Honda Civic blanche jusqu'aux supermarchés situés sur la Route n° 2, lui ouvrant ainsi une perspective d'expériences inattendues. La vue de ces magasins avec leur parking, de ces succursales de banque, ces stations d'essence, ces Burger King, Belly Deli et Dunkin' Donut, échoués sur d'immenses étendues goudronnées entourées de prairies fleuries, avec, dans le lointain, la ligne bleue et brumeuse des bois, incandescents sous le ciel embrasé de l'été, le plongeait dans la perplexité. Pour quelle raison les citadins avaient-ils besoin d'aller à la campagne pour faire leurs achats? se demandait-il. Mais lorsqu'il se risqua à interroger Mrs. Patton, celle-ci se borna à secouer la tête avec un petit sourire; elle n'avait pas compris son étonnement, pourquoi devrait-on se poser des questions sur ce qui était là?

Elle avait déjà garé sa voiture, en était descendue prestement avec son sac à main, et, dans sa hâte de commencer ses achats, se dirigeait rapidement, le long des rangées d'automobiles stationnées, vers les chariots emboîtés les uns dans les autres. Arun la suivait avec lenteur; son regard s'attardait sur des automobiles qui ne correspondaient pas à l'idée qu'il se faisait jusque-là des voitures, à savoir des véhicules destinés à transporter des passagers d'un point à un autre. C'étaient des installations complètes, solides et calées sur leur masse, toutes laborieusement acquises : poids, histoire, héritage même. Sur les sièges arrière, s'entassaient fauteuils de bébé, couvertures de chien, boîtes de Kleenex, jouets et mascottes collées aux vitres comme des bernacles. Chaque voiture était un module conçu pour contenir et transporter des vies et des songes. Sur les plaques minéralogiques, on lisait :

> « J'aime ma voiture »
> « Chaque jour, un nouveau dollar »

Des autocollants proclamaient :

> « Des armes à feu, du cran et Dieu,
> c'est la grandeur de l'Amérique »

Des inscriptions en plastique racontaient :

> « Ma fille et moi allons à l'université,
> Mon argent et son cerveau »

Il y avait aussi des témoignages de fierté :

« Dartmouth », « Université de Pennsylvanie », « Williams »

Et des avertissements :

> « Bébé à bord »
> « Je freine pour les animaux »
> « Un accident nucléaire
> peut gâcher toute votre journée »

Ces biographies, ces professions de foi étourdissaient Arun. Il serait volontiers resté là à imaginer des personnages, leur vie en rapport avec ces conteneurs — les occupants étant heureusement invisibles —, mais Mrs. Patton l'attendait devant les portes automatiques. Il la voyait de loin, avec ses sandales plates à semelles en caoutchouc, son pantalon jaune et son tee-shirt portant l'inscription « *Born to shop*[1] », les mains sur le chariot qu'elle avait choisi. Quant à l'étonnement d'Arun à propos de l'emplacement du supermarché, elle ne comprenait pas en quoi cela le préoccupait. « Tout va bien? » demanda-t-elle quand il la rattrapa.

Dès qu'ils se retrouvèrent dans l'atmosphère fraîche, climatisée, du magasin, elle lui montra par son assurance et sa compétence comment faire ses courses. Toute l'indécision et la timidité qu'elle manifestait à la maison avaient disparu. Il apprit à la suivre docilement le long des allées, à s'adapter à sa progression méthodique et à lire les étiquettes sur les boîtes de conserve et les emballages avec la concentration qu'elle apportait à cet exercice, étudiant les différentes marques, non pas seulement en raison de leurs différences de prix — comme il avait tendance à le faire —, mais pour leur valeur nutritive et leur teneur en calories. Ils pilotaient ensemble le caddie, évitant de passer près des congélateurs ouverts où s'étalaient, sous la buée glacée, les paquets roses de viande crue, près des bassins dans lesquels des langoustes impuissantes, aux pinces liées par un élastique, montaient entourées de bulles et retombaient tragiquement au fond; ou près des plateaux en polystyrène où la chair pâle des poissons s'enroulait en masses opaques. Ils se dirigeaient plutôt vers les rayons où étaient empilés pâtes, haricots, lentilles, produits

1. « Née pour acheter ».

inoffensivement secs et inodores, et vers les casiers remplis de toutes sortes de noix et d'épices dont les emballages attrayants et colorés dissimulaient ce qu'ils pouvaient avoir de surprenant. Mrs. Patton rayonnait lorsqu'ils approchaient des légumes brillants et humides, arrosés en permanence d'un léger nuage d'eau qui faisait ressortir les couleurs et leur donnait des formes inconnues dans la nature. Aux yeux d'Arun, leur luisante perfection était aussi irréelle que s'ils avaient été en plastique, mais Mrs. Patton insistait pour remplir le chariot avec assez de brocolis, de haricots verts, de radis, de céleris pour nourrir la famille pendant un mois.

«Mais en mangeront-ils ? s'inquiéta Arun en l'aidant à arracher les sacs en plastique de leur rouleau, à les ouvrir, puis à les remplir et les fermer.

— Quelle importance, Aa... run, *nous*, nous les mangerons, dit-elle en riant gaiement, tout en soupesant un melon et en le tâtant pour s'assurer qu'il était mûr.

— Excusez-moi», dit une voix, et une femme se pencha à côté d'eux pour choisir aussi un melon. Son tee-shirt proclamait : «Shop till you drop [1].»

Arun fut déconcerté, mais Mrs. Patton n'avait apparemment rien remarqué.

Sa plus grande joie était de rapporter à la maison tous ces trésors qu'elle avait récoltés en parcourant le dédale des allées du supermarché, et de les ranger dans les placards de sa cuisine, dans le réfrigérateur et le congélateur. Arun lui tendait les articles un à un — le beurre, le yaourt, le lait allaient à tel endroit, la confiture, les biscuits et les céréales à tel autre —, préoccupé à l'idée qu'ils ne viendraient jamais à bout de tant de nourriture, mais ce ne semblait pas être le but des achats

1. «Achète jusqu'à ce que tu t'écroules.»

de Mrs. Patton. Une fois que tout était rangé dans les cases d'un blanc étincelant où la glace murmurait doucement, elle était contente ; apparemment, il n'y avait pas pour elle d'autre étape que celle-ci, définitive et satisfaisante.

Arun n'avait plus qu'à extraire de ces trésors ce qu'il désirait : des tomates qu'il coupait en tranches, de la laitue qu'il mettait sur du pain, ou des céréales qu'il versait dans un bol. Mrs. Patton l'observait avec fierté et complicité. Arun mangeait d'un air triste et avec le sentiment d'être une victime. Comment pouvait-il avouer à Mrs. Patton que ces aliments ne faisaient pas partie de la civilisation de son pays ? Que son système digestif ne savait comment en tirer profit ? Pour la première fois de sa vie, il avait la nostalgie de ce qui, auparavant, lui paraissait aller de soi et était même une corvée insupportable : ces repas préparés pour lui et qu'il devait manger, qu'il en voulût ou non — et souvent il n'en voulait pas — et cette obligation d'absorber ce que les autres estimaient bon pour lui.

Même si elle remarquait son air malheureux, Mrs. Patton ne paraissait pas capable de lui venir en aide. Elle avait fait le nécessaire : choisi, rassemblé, offert cette nourriture et maintenant elle le regardait d'un air béat, les bras croisés sur ce tee-shirt marqué de mots inquiétants ; dans ses yeux se lisait la conviction de l'accord idéal qu'était le lien entre l'homme et la femme, entre la femme et l'enfant.

Non, il ne s'était pas échappé. Il était parti loin, mais il était tombé sur ce qui était comme une représentation artificielle de ce qu'il avait connu à la maison et qui n'était pas la réalité (laquelle était banale, sans beauté, difforme, menaçante, faite de compromis) mais l'irréalité : propre, brillante, étincelante, sans goût, sans saveur ni consistance.

Si Mr. Patton avait remarqué ou observé l'arrangement conclu entre sa femme et le jeune Indien qu'ils abritaient cet été-là, il n'y fit jamais allusion, ou il n'en tint aucun compte. En rentrant de son travail, il s'arrêtait sur le chemin pour acheter des steaks, des hamburgers, des côtelettes. « J'ai pensé que tu n'aurais peut-être pas assez », disait-il à sa femme en sortant sur le patio pour griller, rissoler, frire et rôtir, et Mrs. Patton prenait comme il convenait un air hypocritement confus. Quand elle se décida enfin à lui dire qu'Arun était végétarien et qu'elle-même avait résolu de tenter l'expérience comme elle le souhaitait depuis longtemps, il réagit en n'ayant aucune réaction, comme s'il n'avait tout simplement pas entendu ni compris. Cela aussi était familier pour Arun, il en avait fait l'expérience, même si ce n'était qu'un reflet dans un miroir : son père avait la même expression, triomphant toujours, refusant toute opposition, tout défi à son autorité, attendant, insensible, qu'ils faiblissent, cèdent peu à peu au désespoir, et soient anéantis. Une fois de plus, un frisson gris, fugitif, le traversa, l'étouffa.

20

Dans l'obscurité du living-room, le téléviseur brille d'une vie nocturne. Arun, qui remonte dans sa chambre après le fiasco habituel de son dîner, s'arrête un instant pour voir quelle est la créature pelotonnée sur le canapé défoncé, en face du poste. Il est curieux de voir comment cette forme pourrait se redresser, se déplier, se révéler. Mais au grignotement régulier de cacahuètes, il devine son identité sans qu'elle ait besoin de bouger : c'est Mélanie, Mélanie toute seule, jambes croisées sur les coussins écossais, avec son sac de cacahuètes — un nouveau, sûrement —, qu'elle vide énergiquement pendant les pauses de publicité. Arun reste à la porte et regarde des annonces pour une compagnie d'assurances (une jeune et radieuse famille courant sur une prairie fleurie), un appareil dentaire (une dame aux cheveux bleus posant un bol de céréales devant un homme aux cheveux gris et l'étreignant courageusement), une automobile (une apparition angélique plongeant d'un coucher de soleil dans l'obscurité, tandis qu'au-dessous un véhicule long et bas traverse un désert de sable et de cactus, accompagné par un chœur qui chante « *La grande route américaine..., la grande voiture américaine...* »).
La pub semble ne jamais devoir finir. Au moment où Arun

211

quitte la porte pour s'esquiver discrètement, Mélanie s'aperçoit de sa présence. Elle tourne son pâle visage vers lui et, malgré l'obscurité, Arun lit dans ses yeux. Ils disent : va-t'en. Et il s'en va.

Il a son propre téléviseur dans sa chambre. Mrs. Patton a insisté pour qu'il en ait un, sachant peut-être avec quelle férocité Mélanie monopolise celui du living-room. Le sien est vieux, en noir et blanc, et occupe trop de place sur son petit bureau sous la fenêtre. Pour pouvoir travailler, il a dû le reléguer dans un coin et il a fini par l'oublier. Ce soir, il regarde par la fenêtre : quelqu'un a relevé le store, il ne sait pas qui ; il ne le redescend pas. Il doit donc affronter la forêt plongée dans le noir.

Beaucoup plus tard, dans le silence qu'accentue le stridulement régulier des cigales, il regarde au-dehors et voit, sur le patio, qui paraît éclairé à cause de son dallage en pierre claire, les braises encore fumantes du barbecue. Quelqu'un est là qui y fourrage pour détacher des instruments qu'il a éparpillés autour de lui quelques lambeaux de viande. À sa taille, sa stature et ses vêtements, Arun a reconnu Rod. Rod est rentré. Ses cheveux sont encore retenus en arrière par le bandeau lumineux qu'il met quand il fait du jogging. Il porte un short, mais pas de chemise, et sa poitrine est luisante de sueur. Il est debout, jambes écartées, au fond du patio, et ronge ce qu'il trouve pour se nourrir.

Arun recule derrière le rideau pour que Rod ne le voie pas en train de l'observer.

Plus tard dans la nuit, alors qu'il est tombé dans le puits profond de l'inconscient, il est réveillé par un léger cliquetis.

Il bondit aussitôt à la fenêtre en serrant sa couverture contre lui, plonge le regard dans le patio, se demandant si Rod est encore en train de fouiner à la recherche de victuailles. Mais au lieu de Rod, c'est un voleur qu'il aperçoit, qui a son masque naturel sur les yeux, dont les petites mains gantées se servent dans la boîte à ordures. Il est dressé sur deux pattes et, dans le noir, seule le trahit la bande blanche de fourrure qui lui barre la tête. Il fourre son nez dans le trou d'un sac ; on entend un bruit de papier froissé. Puis il retombe sur ses quatre pattes et disparaît dans les bois, pesamment, comme s'il traînait tout son butin.

Les insectes continuent dans la nuit à se précipiter sur l'électrocuteur bleu avec une frénésie de kamikazes et trouvent la mort dans de soudains et poignants cliquètements et des grésillements sinistres.

Puisqu'il est réveillé, Arun décide, avant de se recoucher, de se faufiler sur le palier. Il ouvre sa porte, et est surpris de voir de la lumière. Quelqu'un l'a laissée allumée dans la salle de bains. Clignant des yeux, il clopine jusqu'à la porte restée ouverte et reçoit un nouveau choc. Mélanie, vêtue d'un pyjama blanc imprimé de lèvres rouges, est à genoux devant la cuvette des toilettes, et elle essaie de toutes ses forces de vomir. Elle l'a entendu, ou a vu son ombre, se retourne, alarmée. Des gouttes de sueur perlent sur son visage qui est aussi pâle que la chair du poisson au supermarché. Les cernes noirs qu'elle a sous les yeux la font ressembler au raton-laveur de la boîte à ordures, mais ce n'est pas comique, c'est effrayant. Elle repousse ses cheveux de son front moite et le fusille du regard. Elle siffle : « Va-t'en ! Fous le camp ! »

21

Après avoir travaillé à la bibliothèque, Arun est sur le chemin du retour ; la journée a été longue et il traîne les pieds à présent au bord de la grand-route, marchant tantôt sur l'herbe tantôt dans la poussière. Il a encore raté le dernier autobus pour Edge Hill. Les voitures le frôlent à chaque instant ; tous les gens, se dispersant vers les immenses banlieues, rentrent chez eux pour passer la soirée autour du barbecue ou devant leur téléviseur. S'il ne participait pas un peu à ce mouvement, Arun pourrait se sentir piégé dans le tissu de cette vie où il se débat.

Mais, maintenant, ce n'est pas une voiture approchant de trop près le bord de la route qui lui fait peur, mais un bruit de pas sonores, martelant le sol, qui le rattrapent et passent à côté de lui. Le coureur lève la main et, sans tourner la tête, crie : «Salut !» C'est Rod, poitrine nue, en short de jogging, avec ses énormes chaussures blanches et son bandeau de tête lumineux. Il ralentit, s'immobilise presque, ses genoux encore en mouvement, ses pieds se levant et s'abaissant sur place. Rod a interrompu sa course pour Arun. «Hé, dit-il en haletant, la sueur coulant de dessous son bandeau sur son visage hâlé, viens courir !»

Arun secoue la tête nerveusement, puis sourit pour montrer qu'il ne veut pas paraître désagréable : l'idée, certainement séduisante et flatteuse, de courir à côté du sublime Rod, est trop fantaisiste pour être envisagée. Le moyen, pour un garçon de la plaine du Gange, petit, malingre et asthmatique, nourri de légumes au cari et de lentilles bouillies, de se mesurer avec cette puissante race nordique de gladiateurs, ou d'être simplement à son niveau ? « Heuh, pas aujourd'hui », bafouille-t-il en secouant la tête, comme honteux.

Rod lui fait un signe de tête bienveillant qui ramène ses cheveux roux sur son front, par-dessus le bandeau, comme la crinière d'un cheval. « D'accord, dit-il en levant la main, ce sera pour une autre fois », et il repart seul, le long du talus, vers le soleil couchant et l'horizon en arc au-dessus de la colline. Arun regarde Rod disparaître dans le lointain radieux ; la poussière qu'il foule de ses chaussures marron et poudreuses le convainc une fois de plus de sa propre obscurité.

À son retour, Rod et son père sont étalés sur les coussins écossais du canapé, devant la télévision. À la faible lumière de l'écran, il ne voit d'abord que leurs jambes étendues et leurs chaussures pointées en l'air : les baskets de Rod couvertes de poussière, les chaussures de Mr. Patton bien astiquées et ses chaussettes à damier. Peu à peu, il distingue les boîtes de bière posées par terre à côté d'eux et le match de baseball qui se déroule sur l'écran : petites silhouettes blanches, agitées, s'accroupissant, sautant, courant désespérément, la version dessin animé d'un combat. Il reste à la porte, hésitant, se demandant s'il peut entrer — la scène est si conviviale, si accueillante, et l'odeur salée des crêpes de maïs taquine ses papilles. Mais, après avoir rejeté les avances de Rod, il sait qu'il ne peut s'attendre qu'elles soient renouvelées. Les occasions, dans la vie, ne se présentent qu'une fois, rarement deux.

Mrs. Patton lave des haricots verts dans une passoire au-dessus de l'évier de la cuisine ; ils débordent et se répandent sur l'égouttoir. Elle adresse à Arun un sourire complice. « C'est le grand jeu, ce soir, dit-elle. Ils mangent sur un plateau télé. Et nous, on aura des haricots verts. J'ai pensé les cuire à la vapeur. » Elle secoue la passoire, et répand de l'eau par terre.

Arun ne peut que faire un signe de tête approbateur puisqu'il ne peut lui dire qu'il donnerait cher pour rejoindre les deux hommes dans le salon ; il entend les coups de pied dans le ballon et les acclamations du match, les coups de poing sur les coussins et les cris d'enthousiasme ou de désespoir.

Mrs. Patton s'aperçoit de quelque chose. « Oh, mon Dieu, dit-elle tristement, peut-être que vous n'aimez pas les haricots verts ? »

Que peut-il répondre ?

« Alors nous n'en mangerons pas », décide-t-elle et, les saisissant à pleines mains, elle les jette à la poubelle, en les poussant à l'intérieur avec tant d'énergie qu'Arun craint qu'elle ne soit fâchée. Mais elle se retourne avec un sourire sans nuages et lui propose de se préparer un repas indien. « C'est ça, dit-elle, qui doit vous manquer », et elle se met à aligner flacons, pots et paquets d'épices, boîtes de lentilles et de riz, tout ce qu'elle a si laborieusement récolté pour lui.

Arun n'a plus qu'à lui prendre des mains les lentilles qu'elle a découvertes dans une boutique de régime, et à trier les petites graines entre ses doigts en se demandant ce qu'il va pouvoir en faire. Il meurt d'envie de les jeter sur la table, de les abandonner à Mrs. Patton et de prendre la fuite. Oh ! franchir la pelouse, monter sur les pentes embrasées par le soleil couchant, quitter les endroits habités, marcher le long des routes infinies serpentant à travers l'État, à travers le continent. Mais, en regardant par la fenêtre, il aperçoit la forêt : la végétation qui, dans son exubérance estivale, verdoyante et envahissante, grimpe avec une luxuriante indiscipline, se rapproche. Il sent déjà son souffle humide sur son visage, l'odeur fétide du compost.

Il tourne le robinet, fait couler de l'eau sur les lentilles, les lave. Sous les yeux admiratifs de Mrs. Patton, il met la casserole sur la cuisinière et ajoute sans même les regarder les épices qu'elle lui tend. Elles ont une odeur forte, étrangère — elles devraient convenir. Elles le font éternuer et lui communiquent de l'audace : il jette encore quelques poivrons verts, une tomate, des feuilles de laurier, des clous de girofle.

«C'est de cette façon que votre mère les prépare?» demande Mrs. Patton en clignant des yeux, lorsque la vapeur commence à monter et à les envelopper d'odeurs qui ne sont pas précisément appétissantes.

Il ne peut pas lui dire qu'il n'a jamais vu sa mère faire la cuisine; elle comprendrait qu'à la maison il ne mangeait jamais, qu'il était privé de nourriture, et en ce moment il n'a que faire de sa compassion. Il hoche seulement la tête et remue les lentilles. Ses lunettes s'embuent d'une vapeur grasse teintée de curcuma.

«Eh bien, observe Mrs. Patton, si plus d'Américains mangeaient de cette nourriture, nous ne nous rendrions pas si malades. Il y a ces maladies de cœur, ces cancers et ces affreuses infections qui sont toutes dues à une alimentation terrible, terrible.

— Mais les Américains se portent très bien, Mrs. Patton, dit Arun. Beaucoup mieux que les Indiens.

— Allons donc! Je ne vous crois pas. Je pourrais vous en

dire long sur la bonne santé des Américains ! s'écrie-t-elle. Les statistiques sont tout simplement accablantes. Si vous alliez dans n'importe quel cabinet médical, vous verriez des choses qui vous étonneraient. Nous ne savons pas manger, répète-t-elle, il faut que nous apprenions. »

Et, juste au moment où il verse dans un plat les lentilles brunâtres, grumeleuses, épaisses et coulantes à la fois, entre Mélanie, de retour de l'école, qui porte son cartable sur le dos comme un sac de pierres. Elle s'arrête net, on dirait qu'elle ne peut en croire ses yeux ; elle contemple avec une indignation croissante les lentilles qui dégoulinent de la casserole dans le plat.

« Beurk ! » s'écrie-t-elle enfin. Le mot a explosé de sa bouche comme une bulle de chewing-gum. « C'est quoi, *ça* ?

— Mélanie ! crie sa mère. C'est le dîner d'A... run, il l'a préparé lui-même. Je te prie de ne pas faire de bruits malsonnants à propos de choses que tu ne connais pas. Je crois que tu ne sais plus ce que c'est que de la cuisine. Toi, tu ne manges que des biscuits, des tablettes de chocolat et des cacahuètes, mais, s'il te plaît, ne fais pas de remarques déplaisantes sur la nourriture des autres.

— Euh.. Tu appelles ça de la nourriture ? demande Mélanie d'un ton furieux, comme si cette idée la scandalisait. Moi, j'appelle ça de la merde ! »

Elle flanque son cartable sur une chaise et sort de la cuisine, les épaules rentrées comme celles d'un boxeur, suivie par les remontrances de sa mère.

Arun est assis devant son bol de *dhal*. Il le regarde, écœuré. Il est bien d'accord avec Mélanie, c'est horriblement mauvais ; il préférerait de beaucoup mâcher bruyamment une barre chocolatée plutôt que manger ce brouet. Mais Mrs. Patton vient s'asseoir à côté de lui, compatissante, encourageante.

Elle lui sourit, d'un sourire radieux qui est la copie artificielle du sourire maternel dont se souvient Arun, dans un autre monde, dans un autre temps, un sourire crispé aux coins de la bouche sous une pression, celle de jouer un rôle, de l'obliger à manger, à grandir, à mériter toute cette peine, ces efforts, ces dépenses. Le sourire de Mrs. Patton ne porte aucune trace de pression, il est seulement factice ; il lance doucement un message comme sur un écran clignotant : « Mange, profites-en. » Désarmé, Arun s'exécute.

Lorsqu'il sort enfin de la cuisine et monte dans sa chambre, Mélanie est assise sur le palier comme si elle voulait l'intercepter. Elle ne retire pas ses jambes de son chemin, il passe par-dessus avec précaution, et voit en même temps que ses genoux sont couverts de barres chocolatées. Elle en a déjà mangé quelques-unes et elle froisse devant lui les papiers vides comme pour attirer davantage son attention. Ce geste éveille chez Arun un souvenir fugitif : les mendiants dans les rues indiennes et les manœuvres auxquelles il faut recourir sur les trottoirs encombrés pour leur échapper, et les stratégies des mendiants pour les faire échouer.

Elle lui parle alors qu'il ne s'y attendait pas. « Eh bien, tu as dîné ? » demande-t-elle sur un ton malveillant.

Il combat son envie de fuir dans sa chambre et de se cacher, et il marmotte : « Et toi, tu ne dînes pas ? Tu n'as pas faim ? »

Elle ouvre grand la bouche pour lui faire voir la masse brune de caramel qui lui colle aux molaires et tend des fils sur sa langue. « J'ai si faim qu'il faut bien que je mange cette saloperie, siffle-t-elle. Je suis incapable de manger ce truc gluant que vous préparez dans la cuisine, maman et toi », se plaint-elle avec amertume.

Arun frémit d'horreur et de remords. Il voudrait expliquer pourquoi ces lentilles étaient si lamentables : c'était la première fois qu'il en préparait. Il voudrait lui dire qu'il regrette qu'elle soit obligée de manger toutes ces confiseries. Mais, au moment d'ouvrir la bouche, il comprend que cela serait critiquer implicitement la mère de Mélanie, il y renonce donc. Sur cet autre versant de la terre, il est de nouveau rattrapé par le tissu poisseux des conflits familiaux. Renonce, oh renonce... Il se faufile dans sa chambre, fuyant le regard accusateur de Mélanie.

## 22

Mrs. Patton pose la main sur le caddie qu'Arun fait rouler aussi vite que possible le long des rayons de soupes en boîte, de pâtes et de riz, pour tenter de le freiner. «A... run, proteste-t-elle, nous n'avons pas fini. Tu aurais dû voir comment je remplissais mon caddie lorsque les enfants étaient petits. J'avais Mélanie, assise là sur le siège, et le chariot était si plein qu'elle devait poser ses pieds tout en haut, au-dessus des provisions.»

Arun a vu des mères de jeunes enfants faire précisément la même chose : elles installent les bébés sur le siège rabattable, d'où ils dominent une montagne de céréales, de nourriture pour chats, de couches, en suçant généralement la barre chocolatée que leur mère leur a donnée pour qu'ils se tiennent tranquilles pendant qu'elle fait ses achats. Il essaie d'imaginer Mélanie enfant dans le caddie, trônant sur tous les achats, mais l'image qui lui vient à l'esprit est celle d'un petit monstre aux jambes éléphantesques.

«Et, vous savez, ce qu'il y a aujourd'hui dans le chariot ne nous aurait pas même duré une semaine. Au bout de trois jours, j'aurais dû revenir», dit-elle avec un petit rire. Elle s'efforce de marcher aussi vite qu'Arun. Les roues du caddie grincent, les semelles de caoutchouc crissent, Arun fait une embardée pour éviter un autre chariot plein à ras bords qui avance trop lentement.

« Est-ce qu'ils mangent moins maintenant ? » demande-t-il. On pourrait à peine glisser une autre boîte dans le caddie. Le dégoût lui soulève le cœur comme s'il avait fait un repas trop copieux.

« Oh non ! ils mangent tout le temps, dit-elle en riant, un peu essoufflée. Mais... ce n'est plus la même chose. Nous ne nous asseyons plus à table comme autrefois. Chacun mange ce qui lui plaît et à une heure différente. Depuis qu'ils sont grands, c'est rare que nous mangions ensemble. Je me contente de remplir le congélateur et je les laisse prendre ce qu'ils veulent quand ils veulent. C'est ça mon travail, A... run. » Elle saisit la poignée du caddie pour arrêter Arun afin d'étudier les étiquettes des boîtes de soupe. Bien qu'il n'ait jamais eu l'impression que les repas, chez lui, étaient des modèles de convivialité familiale — papa mâchant chaque bouchée avec l'expression d'un examinateur devant un candidat, maman surveillant tout de ses yeux perçants, ses sœurs perchées sur leur siège, prêtes à paniquer et se sauver, la seule conversation autorisée tournant autour de la pénible obligation devant laquelle on se trouve, c'est-à-dire manger —, il lui semble qu'il y a aussi quelque chose d'anormal dans le système Patton.

« Des champignons, dit Mrs. Patton, vous en mangeriez, n'est-ce pas, Aa... run ? »

Il voudrait lui faire remarquer qu'il n'est pas aussi difficile que sa famille. Il songe à lui parler des problèmes de Mélanie ; elle les lui a lancés à la figure d'un tel ton, sur le palier, qu'il ne peut y rester indifférent. Mais il ne sait comment prononcer son nom sans inciter Mrs. Patton à croire qu'il s'intéresse un peu trop à elle. «Et les autres, ils en mangent, des champignons? dit-il enfin.

— Oh, répond-elle en jetant la boîte dans le caddie, et en continuant à avancer, ils prennent ce qu'ils veulent. Dans le congélateur, vous savez. Ou bien, ajoute-t-elle d'un ton vague car elle examine maintenant les biscuits, ils se font un sandwich. Vous voyez, dit-elle avec un imperceptible froncement de sourcils, ils n'aiment pas beaucoup ma cuisine. Et ils n'aiment pas non plus s'asseoir à table, contrairement à vous et moi.» Elle adresse à Arun un sourire dont le sens ne peut lui échapper; il détourne la tête en rougissant.

«La caisse numéro six a l'air libre», marmotte-t-il, et il s'élance à toute vitesse vers elle, en poussant bruyamment le caddie.

## 23

Arun fait du jogging. Il a plié et rangé ses lunettes avec détermination, enfilé et lacé ses nouvelles baskets et, maintenant, il fait du jogging. Toujours aussi décidé et prudent, il court sur Bayberry Lane, descend Potwine Lane, longe Laurel Way et débouche sur Pommery Road. Surpris de sa propre audace, il court le long de pelouses livrées au soleil du matin, passe devant des porches où sont assis de vieux messieurs, leur casquette de baseball sur le nez, se laissant bercer par le bruit de la circulation qui les endort d'un sommeil poussiéreux. Il contourne des allées où, pleines d'espoir, des familles attendent, assises autour de tables chargées de vêtements et de souliers usagés, de rouleaux de moquette et de cadres, de lampes et de petits appareils électriques, le tout surmonté d'une pancarte VENTE VIDE-GRENIER. Il parcourt d'autres allées où des vieilles dames en chapeau de paille binent des parterres de zinnias avec une petite truelle.

Toujours aussi résolu, il tourne dans Elm Street et court devant des maisons silencieuses, où les rhododendrons font écran aux fenêtres panoramiques, entourées d'arbres touffus où pendent dans l'air immobile carillons et hamacs, et arrive sur Oak Street. Ses orteils se cognent dans ses chaussures, ses chevilles sont douloureuses et il a des élancements dans les muscles de ses jambes. Serrant les poings et les dents, il continue à courir, espérant que le chien qui aboie, attaché à sa niche, ne rompra pas sa chaîne et que les voitures qu'il entend ronfler dans son dos l'éviteront à temps.

La sueur ruisselle de ses cheveux sur ses joues, coule jusque sur son menton. La chaleur de cette paisible matinée est devenue pénible, l'éclat qu'elle avait un peu plus tôt s'est terni. Il est fatigué. Mais il continuera à courir — comme Rod, comme tous ces garçons; il a vu leur visage crispé et sans expression, leurs yeux clos, tandis qu'ils luttent pour fuir la ville, les banlieues, les galeries marchandes, les parkings, qu'ils luttent pour se libérer et gagner, grâce à ces efforts si primitifs, à cette tension et cette souffrance, les grands espaces, ce vide sans entraves où se trouve encore l'Amérique inconnue.

Ouvrant les yeux, Arun regarde fiévreusement autour de lui pour voir s'il est arrivé. Juste à temps, car il allait s'engager sous les branches basses des arbres de la forêt qui descendent jusqu'à la route et dont l'ombre jette comme des filets sur le chemin de ceux qui ne sont pas sur leurs gardes. Ce n'est pas là qu'Arun comptait terminer sa course. Foulant la poussière, il continue à avancer péniblement, les épaules rentrées, la tête encore plus penchée. Il faut qu'il aille plus loin, plus loin encore, qu'il s'éloigne des arbres et de leur étouffante luxuriance.

Les voitures filent à côté de lui, dangereusement proches, rébarbativement silencieuses et rapides. Il les regarde d'un air implorant : si seulement l'une d'elles s'arrêtait pour le prendre et l'amener vite et efficacement à destination… Mais pas une seule ne ralentit; les conducteurs sont manifestement convaincus, d'après sa tenue de jogging, qu'il n'a aucune destination.

Ces bolides lui donnent le vertige; il secoue la tête, dispersant autour de lui des gouttelettes de sueur, il regarde ses pieds qui foulent le bord terreux de la route. Jamais il n'a été aussi conscient de leur peu d'aptitude à fonctionner, de leur forme insatisfaisante, invalidante. Il les regarde s'enfoncer dans la terre, se relever et répéter fastidieusement leur mouvement rudimentaire qu'ils semblent incapables d'améliorer ou d'improviser, tout en ne cessant d'être conscient des voitures à enjoliveurs chromés qui le dépassent avec une facilité et une aisance narquoises, lui soufflant insolemment leurs vapeurs d'essence à la figure.

Elles filent comme des flèches métalliques projetées dans l'espace par les lance-missiles des villes qu'elles ont quittées. En haut de la pente, là où la route croise l'autoroute, elles marquent un temps d'arrêt, puis divergent, chacune partant de son côté. Tout le long de l'autoroute, il y aura des pancartes, des abris, de la nourriture, des stations d'essence, des téléphones pour les automobilistes en détresse, des motels Howard Johnson, tout ce qu'il faut pour le confort des propriétaires de ces machines de rêve. Leur trajet sera aisé, leurs destinations infinies. C'est eux, et non les joggers collés à la terre, qui descendent directement des pionniers aux chariots recouverts de toile et aux chevaux fidèles, eux qui sont les héritiers du rêve d'un Ouest indéfiniment remis à plus tard, indéfiniment doré. Eux seuls peuvent défier l'espace et la désolation, lancer leur machine d'acier à l'assaut du désert et du vide, en triompher en roulant dessus et en le couvrant de poussière — avec dédain. Les conducteurs, dans leur habitacle scellé, exposant aux yeux de tous leur identité, leur histoire, leur foi, avec des grigris qui se balancent autour d'eux, s'élancent avec allégresse, avec insouciance.

Le jogger fait seulement semblant. Il ne peut pas même espérer rivaliser, il est dépassé, démodé.

Arun s'arrête en chancelant au sommet de la route et s'affale sur le bas-côté. Un conducteur alarmé appuie à fond et longuement sur son klaxon en guise d'avertissement, puis fait une embardée et s'éloigne, laissant Arun aveuglé par la poussière et la sueur. Il se masse les genoux et gémit à la pensée du trajet de retour.

Il arrive en boîtillant dans l'allée des Patton, et voit que Mr. Patton vient de rentrer du travail ; il sort avec effort de sa voiture, gêné par sa serviette, qu'il tient d'une main et le sac en papier du Foodmart qu'il agrippe de l'autre. « Salut, Red, dit-il, dis donc, peux-tu me tenir ça pendant que je ferme la voiture ? »

Arun tend la main et, sans dire un mot, prend le sac humide du sang qui coule de la carcasse que Mr. Patton a choisi de rapporter ce soir à la maison pour le feu dont les flammes crépiteront bientôt dans le patio, et enverront leurs spirales de fumée vers les fenêtres ouvertes des pièces où se cache Mélanie, où s'active Mrs. Patton, où Arun ira chercher refuge.

Mr. Patton ferme la voiture à clé et sort du garage. Ils contournent ensemble la maison jusqu'à la porte de la cuisine. « Où sont-ils tous ? Assis sur leur cul devant la télé ? Il n'y a personne qui travaille dans cette maison ? La pelouse aurait bien besoin d'être tondue. Où est Rod ?

— Il doit être en train de faire du jogging, répond Arun, ne sachant pas trop si c'est une activité qu'approuve Mr. Patton.

— Du jogging, hum... Du jogging ! Ce garçon passe tellement de temps à se faire des muscles qu'il ne lui en reste plus pour s'en servir. »

Mr. Patton paraît fatigué, irritable. Arun est sur ses gardes; il le suit dans la cuisine et dépose le sac sur la table pour pouvoir s'éclipser rapidement.

Mrs. Patton, qui, en effet, était enfouie dans les coussins du canapé et regardait *Dallas* à la télévision, s'est levée avec effort et apparaît en clignant des yeux. «Oh, là là, dit-elle, le congélateur est plein de côtelettes *jusqu'en haut*. Je ne crois pas qu'on en avait encore besoin...»

Mr. Patton fait la sourde oreille; il sort une boîte de bière du réfrigérateur. Tout en l'ouvrant d'un geste brusque du pouce, il interroge sa femme : «Où sont les gosses? Ils rentrent pour le dîner, ce soir? Qu'ont-ils fait toute la journée? Est-ce qu'ils se sont rendus un peu utiles dans la maison?»

Mrs. Patton range précipitamment les côtelettes et répond tout en s'affairant : «Chuck, tu sais bien que Rod s'entraîne pour intégrer l'équipe de football. C'est toi-même qui le souhaitais...»

Arun sait quand il est temps de fuir une scène de famille : c'est un talent qu'il a mis au point dans l'enfance et perfectionne depuis. Il se glisse hors de la cuisine et, lorsqu'il pose le pied sur la première marche de l'escalier, il entend qu'on parle de Mélanie. «Et Mélanie? Qu'est-ce qu'elle fabrique? À quoi s'entraîne-t-elle, hein?»

Arun a besoin de prendre une douche, mais Mélanie a emporté son lecteur de cassettes dans la salle de bains et s'y est enfermée. Le saxophone, les trompettes et la voix éplorée d'un chanteur martèlent la porte, la bourrent de coups, mais elle reste close. Un peu de lumière filtre par en-dessous. Entre deux chansons, Arun, qui a laissé la sienne ouverte, entend couler des cataractes d'eau.

Lorsque Mélanie sort enfin, et traverse le palier en chan-

228

celant, comme aveuglée, Arun lève la tête et la voit passer, le visage ruisselant de sueur. Elle a à peine la force de porter son lecteur de cassettes. Arrivée dans sa chambre, elle claque la porte. Arun a l'impression qu'il l'entend pleurer, mais ce peuvent être les sanglots du chanteur.

Rod est couché sur son lit, entouré d'animaux en peluche, de disques, de bandes dessinées et de chaussettes sales. Il pédale énergiquement, jambes en l'air, à un rythme étourdissant, mais parfaitement régulier. Il se soutient le dos de ses mains, son visage est crispé et congestionné.

Arun reste sur le seuil de la porte, attendant que les jambes de Rod ralentissent et s'arrêtent. Il dit alors en toussotant : « Euh, je crois que Mélanie a mal au cœur. »

Rod repose ses jambes sur son lit. Il reste immobile, attendant que le sang se retire de sa tête, respire profondément, régulièrement. Il grommelle : « Cette gosse s'empoisonne, tout simplement. Avec toutes les sucreries qu'elle avale. Elle ne mange rien d'autre. N'importe qui serait malade. » Il pousse un grognement à la fois railleur et amusé. « Elle veut devenir une mince petite poulette. Ha, ha !

— En mangeant des sucreries ? demande timidement Arun, qui n'en est pas convaincu.

— Ouais, et en se faisant vomir, en se faisant vomir ! » Rod s'assied brusquement, fait pivoter ses grandes jambes et plante ses pieds à plat sur le plancher. Il se baisse pour se tripoter un orteil. « Cette gosse est dingue, mon vieux, dingue, marmotte-t-il. Tu sais, elles ne sont bonnes qu'à ça, les filles. Nous, les gars, on est différents. Elles sont trop flemmardes pour se bouger le cul, faire du jogging, ou jouer sérieusement au ballon. Alors, il faut qu'elles se fassent vomir. » Il se redresse, se fourre un doigt dans la bouche et l'agite en guise de démonstration. «Tu pourrais supporter ça, toi? Qui a envie de vomir?» Il hoche la tête, puis se met debout, écarte les jambes et commence à faire tourner ses bras aussi vite que ses jambes.

Arun bat vite en retraite. On ne peut pas savoir ce qu'il y a de plus dangereux dans ce pays, la recherche de la santé ou celle de la maladie.

# 24

Le lendemain matin, Arun trouve Mélanie assise à la table de la cuisine, la tête baissée, tandis que sa mère lui parle. «Mélanie, papa trouve que tu devrais aller plus au grand air, faire du sport, dit Mrs. Patton, qui fait cuire des œufs. Tu as tellement mauvaise mine. Tu n'es pas malade, dis, chérie?»

Mélanie, la tête toujours baissée, ne répond pas. Arun, se rendant compte qu'il est trop tard pour fuir, s'efforce de se verser aussi silencieusement et discrètement que possible des céréales et du lait. Il s'assied à table, péniblement conscient du bruit qu'il fait en mangeant; il se demande s'il ne devrait pas saisir cette occasion pour dire à Mrs. Patton que Mélanie vomit tout le temps, qu'elle passe ses journées à vomir dans la salle de bains. Le visage de Mélanie, en face de lui, a un aspect de papier buvard détrempé : il est couvert de taches et blafard, ses traits sont affaissés. Sa mère ne voit-elle donc rien?

Mrs. Patton apporte la casserole d'œufs brouillés sur la table. Elle a à peine commencé à en verser une cuillerée dans l'assiette de Mélanie en disant : «Ce ne sont que des œufs brouillés, chérie, c'est bon pour toi» que Mélanie repousse violemment l'assiette, se lève et fond en larmes.

«Pourquoi fais-tu ça, Mélanie, *ma chérie*?

— Je déteste les œufs brouillés. Tu ne me demandes *jamais* ce que j'aime. Pourquoi tu ne me fais *jamais* ce que j'aime? Nous sommes quoi, pour toi, des sacs à ordures que tu bourres sans arrêt?

— Mélanie!» Mrs. Patton est scandalisée. «Je te demande seulement de manger un peu d'œufs brouillés...

— Je ne veux *rien* de ce que tu prépares. Tu peux le donner au chat. Ou à *lui*.» Elle montre Arun d'un geste grandiloquent. «Moi, je ne mangerai pas de ce poison. Tout ce que tu prépares, c'est du poison!» hurle-t-elle en sortant d'un pas chancelant de la pièce, laissant sa mère pâle de surprise.

Arun reste figé sur sa chaise : il ne lui semble pas correct de continuer à prendre son petit déjeuner, mais, au bout d'un moment, Mrs. Patton lui dit avec un petit rire étonné : «Du poison! Vous avez entendu ça? Qu'est-ce qui lui a pris? Qu'est-ce qu'elle veut dire? Ma famille est quand même *étrange*. Vous ne diriez jamais ça, vous, Aa... run. Vous, vous savez que ce n'est pas vrai.»

Il n'a d'autre choix que celui de manger.

Un peu plus tard, elle fait tinter les clés de la voiture. «Aa... run, crie-t-elle dans l'escalier. C'est l'heure des courses!»

Il sort sur le palier et, se tenant à la rampe, la regarde d'un air grave. «Mrs. Patton, dit-il en se penchant vers elle, je crois qu'il faudrait d'abord finir ce qu'il y a dans le congélateur.»

Elle le regarde, stupéfaite. «Finir ce qu'il y a dans le congélateur? Quelle idée! Pourquoi donc? Que ferions-nous *en cas d'urgence*? Allons, on y va», dit-elle gaiement, en faisant tinter ses clés plus bruyamment encore, et d'une façon indéniablement péremptoire.

La Honda Civic blanche roule en douceur sur la piste goudronnée qui fond sous le flamboiement du soleil estival. Aux maisons de banlieue avec leur porche grillagé où somnolent de vieux messieurs, où les pelouses sont tondues par d'infatigables et attentives tondeuses automatiques, aux échoppes de fruits et légumes portant de mystérieuses pancartes comme MUMS et CUKES, aux garages débordant de vieux meubles et d'outils de jardin hors d'usage, succèdent des prés couverts de fleurs — traînées de couleurs vives et chaudes, jaunes, écarlates, orange, enchevêtrées dans les herbes sauvages — et des champs de maïs aux épis mûrs, brillant d'un bleu-vert métallique dans la lumière brûlante de midi, s'étendant jusqu'à l'horizon barré par le bleu-noir de la forêt. Arun continue à trouver qu'il est déconcertant de découvrir dans ce cadre le parking tentaculaire du centre commercial où se glisse Mrs. Patton avec son aisance accoutumée. Elle se gare au milieu des autres voitures qui rôtissent au soleil, et part en avant vers la Babylone des plantes en plastique, des fontaines à l'eau constamment recyclée, des odeurs chimiques de vanille et de chocolat, des enfants en patins à roulettes, abrutis de glaces et de sucreries, et des vieilles personnes affalées sur des bancs qui semblent attendre tristement que commence la représentation.

Mrs. Patton fait ses achats, escortée par Arun, qui la suit chargé de ses sacs. Elle semble crispée, fait des erreurs, ne se rappelle plus où se trouve l'allée des chaussettes et des collants, et a oublié la pointure de Rod. Mais dès qu'ils pénètrent dans le Foodmart, elle se détend comme si elle se retrouvait chez elle. Elle lance joyeusement paquets et boîtes dans le caddie. C'est Arun, à présent, qui est tendu ; il a la gorge

serrée, pris d'angoisse devant tant de dépenses, tant d'acqui-
sitions. Il se demande si Mélanie n'éprouve pas la même
impression, si ce n'est pas cela qui la fait vomir. Il tente de
persuader Mrs. Patton de replacer sur le rayon une boîte de
glace dont elle lit l'étiquette en gloussant : «Notre glace est
la meilleure. Nous le savons puisque nous l'avons faite...»
Elle pouffe de rire, mais lorsque Arun essaie de la lui prendre
des mains et de la remettre en place, elle la lui arrache en
criant : «Mais je la *veux*, c'est de la Chunky Monkey, ma
glace préférée!»

À la caisse, Arun attend à côté de Mrs. Patton, qui
feuillette un magazine plein de photos de starlettes enceintes,
de nouveau-nés à deux têtes, de prisonniers attendant dans
le couloir de la mort. Devant eux, un jeune homme, portant
un tee-shirt avec l'inscription « *Give Blood. Play Rugby*[1] »,
lance des paquets de chips et de *nachos*, des pots de mayon-
naise et de moutarde sur le comptoir.

«On se prépare pour le week-end?» demande la caissière
qui porte une gaie petite veste à rayures rouges et blanches et
un nœud papillon rouge sous son col blanc. Elle fait claquer
son chewing-gum tout en additionnant les achats du jeune
homme.

«Ben oui. Ma copine amène ses parents pour le dîner. Faut
que je fasse la cuisine, explique-t-il. J'ai nettoyé l'appartement
et je rentre chez moi maintenant pour préparer le dîner.

— Mince! dit-elle d'une voix neutre, c'est impression-
nant.»

C'est le tour de Mrs. Patton à présent; Arun l'aide à dis-
poser tous ses achats sur le comptoir, devant la caissière.
Celle-ci, tendant une addition si longue qu'elle s'enroule

1. «Donnez votre sang. Jouez au rugby.»

autour de sa main, regarde soudain Mrs. Patton avec un vif intérêt, et lui demande : «Vous êtes enceinte ?»

Arun est si éberlué qu'il a un mouvement de recul et devient écarlate. Mrs. Patton, saisie, s'écrie : «À mon âge ?» La jeune caissière n'est en rien déconcertée. Elle cherche dans le tiroir de sa caisse la monnaie à rendre tout en faisant claquer son chewing-gum. «Vous n'êtes pas si vieille, assure-t-elle gentiment à Mrs. Patton en lui tendant quelques piécettes. Vous avez ce teint éclatant qu'ont les femmes enceintes, vous savez. J'en vois des masses, alors je m'y connais. Je trouvais que vous aviez ce teint-là.» Puis elle se désintéresse de Mrs. Patton et se tourne pour dire bonjour à une jeune mère qui a placé son bébé par-dessus les sacs de couches et les rouleaux de papier hygiénique et qui vide peu à peu le caddie ; des demi-cercles de transpiration marquent son tee-shirt rose, malgré la fraîcheur apportée par la climatisation. «Coucou ! dit la caissière au bébé. Je parie que tu es la petite chérie de ton papa.

— C'est un garçon, précise la mère, épuisée, et je suis célibataire.»

Ils poussent silencieusement le caddie jusqu'au parking. Arun aide Mrs. Patton à le décharger, sans oser même la regarder. Il voit que les doigts de Mrs. Patton tremblent légèrement tandis qu'elle soulève les lourds sacs en papier.

Une fois qu'ils sont sanglés sur les sièges qui sentent le caoutchouc brûlé et sont collants comme du goudron, Mrs. Patton lui demande d'une voix altérée, fêlée : «Vous avez déjà entendu quelque chose d'aussi idiot ?»

Arun secoue la tête mais n'ose pas ouvrir la bouche.

«Cette fille... C'est la créature la plus stupide que j'aie jamais vue. Vous comprenez ça, vous ?»

Elle conduit trop vite ; la voiture fait de dangereux zigzags.

«Je veux dire, est-ce que j'ai l'air enceinte?» Inquiète, elle a élevé la voix. «Je ne suis pas si grosse que ça, n'est-ce pas, Arun?»

Il secoue de nouveau la tête et n'émet qu'un murmure inaudible. Elle n'est pas grosse, seulement informe. Les pantalons et les tee-shirts qu'elle porte habituellement divisent cette absence de formes en différentes parties et l'ensemble est si dépourvu de caractère qu'il est surprenant qu'il inspire des commentaires à qui que ce soit.

La voiture bondit en avant comme si elle était prise en chasse. Mrs. Patton a un petit rire étrange. «... et pas si jeune, ajoute-t-elle, n'est-ce pas, Aa... run?» Elle fait une brusque embardée pour éviter le pare-chocs d'une camionnette très chargée qu'elle n'a voulu voir qu'au dernier moment; son conducteur donne un violent coup de klaxon.

Arun ne peut s'empêcher de dire d'une voix tremblante : «Ralentissez, je vous en prie, Mrs. Patton.»

## 25

L'été pèse sur eux ; le ciel est si bleu qu'il menace de basculer et d'inonder la terre verdoyante. L'horizon est brouillé et pâle.

Arun se réveille de plus en plus tôt, au point qu'il a maintenant l'impression qu'il ne dort presque plus. La fenêtre est trop claire, il est trop difficile de l'assombrir ou de s'y habituer. Un oiseau crie sans relâche au sommet de l'érable, d'une voix dure et éraillée. Arun essaie de ne pas faire de bruit dans sa chambre pour ne pas déranger les autres, invisibles, qui respirent autour de lui. C'est pieds nus qu'il va à la salle de bains et en revient. Il met des vêtements aussi légers que ceux qu'il porterait en Inde. Ses paupières sont déjà lourdes sous le poids de la chaleur et du manque de sommeil.

Il descend au rez-de-chaussée avec les précautions d'un voleur. De peur de faire du bruit avec une tasse ou une bouilloire, il se verse du jus d'orange. Le chat, qui a passé la nuit dehors, se poste à la fenêtre, assis dans les lauriers, et l'observe d'un air vorace. La maison paraît vide. Sont-ils déjà partis, ou encore endormis ?

À son retour de la bibliothèque, Mrs. Patton est là. Il ne peut éviter de passer à côté d'elle, parce qu'elle est devant la maison, allongée sur un transat. De grandes lunettes noires cachent ses yeux. Sa tenue est si réduite qu'elle ne recouvre que quelques centimètres carrés de sa poitrine et de ses hanches. Le reste de son corps, exposé nu au regard d'Arun, donne l'impression de frire au soleil car elle l'a enduit d'une quantité d'huile — il y a un grand flacon posé à côté d'elle dans l'herbe ; sa peau luit d'un éclat brun. Les jambes étendues, les pieds chaussés de sandales, elle a verni ses ongles d'une couleur écarlate saisissante. Elle respire profondément, donne l'impression de dormir.

Elle pourrait être exposée, luisante incitation, dans une vitrine du Foodmart, comme offre promotionnelle de l'été. On imaginerait presque, au-dessus d'elle, une pancarte annonçant un rabais.

Arun espère pouvoir passer sans être entendu, mais ses chaussures grincent sur le gravier et elle se réveille aussitôt, lève la tête vers lui, enlève ses lunettes et les agite dans sa direction avec une exubérance qui ne lui est pas familière.

« Aa… run ! Salut ! Aa… run, je prends un bain de soleil. »

Il voudrait disparaître, il n'a pas même envie de regarder dans sa direction. C'est comme s'il se trouvait confronté à sa mère toute nue. Quand, ne pouvant faire autrement, il baisse enfin les yeux sur elle, il ne peut s'empêcher de remarquer avec étonnement ses seins flasques, couverts de taches de rousseur et marbrés comme du vieux cuir, pendant dans des poches de cotonnade à carreaux mauves. Ou les plis et les rides grises et molles striant la chair avachie de son ventre dénudé, comme tracées dans du feutre. Mrs. Patton, *pourquoi* ?

« Bonsoir ! » dit-il d'une voix rauque et il passe rapidement à côté d'elle, mais il entend qu'elle l'appelle : « Oh, Aa… run, vous devriez venir ici! Le soleil est merveilleux. Il efface tous les ennuis!»

Quand, le visage cramoisi, sous le coup de ses violentes émotions, il fait irruption dans la cuisine, il découvre qu'elle n'est plus vide. Mélanie est assise à la table, dans à peu près le même costume que sa mère, quoiqu'il soit plus rembourré, plus rempli. Ses jambes nues sont derrière les pieds de sa chaise et elle a le visage penché, comme ses mèches de cheveux, sur un pot de glace qu'elle vide avec célérité. C'est la Chunky Monkey achetée par sa mère. Lorsque Arun entre dans la cuisine, elle s'arrête brusquement, sa cuiller en l'air, une goutte de crème jaune lui glissant le long des doigts, puis sur la table.

Au lieu de détourner les yeux comme d'habitude, d'un air dégoûté, elle lui adresse une curieuse grimace. «T'as vu m'man?» demande-t-elle.

Arun ne comprend pas tout de suite; il a encore du mal à comprendre Mélanie, qui parle de façon peu articulée. Tandis qu'il tourne et retourne les sons dans sa tête pour les reconstruire en mots, la glace continue à couler de la cuiller.

«Elle *prend un bain de soleil!*» Soudain, Mélanie a craché ces mots avec violence, la même qu'Arun contient mais ne laissera pas exploser.

Il observe Mélanie : ses sentiments reflètent-ils les siens? Il ne peut déchiffrer son expression. Son visage ne porte certainement pas le masque boudeur qu'il lui voit habituellement, c'en est un autre, qu'il ne reconnaît pas.

Mélanie a un sourire inattendu. «Elle ne te préparera pas de dîner ce soir», dit-elle d'un ton vengeur, puis elle retourne à sa crème glacée, qu'elle attaque avec une énergie redoublée.

L'attitude de Mélanie lui rappelle alors quelque chose : elle lui rappelle les traits contractés d'une sœur hors d'elle qui, incapable d'exprimer son indignation devant la négligence, l'incompréhension, le désintérêt manifesté envers sa personne unique et singulière et ses désirs intenses, se contente, en inutile protestation, de cracher et d'écumer. Comme c'est étrange, songe Arun, de retrouver cette ressemblance ici, où tout est possible, où il y a liberté et abondance à la fois.

Mais qu'est-ce que l'abondance? Et son contraire? Où est la différence?

Mélanie mange voracement sa glace. Elle ouvre grand la bouche pour enfourner la cuiller pleine qui goutte sur son menton, puise une autre cuillerée, une autre encore, de cette chose sucrée, poisseuse, dégoulinante, dont elle a besoin pour se faire plaisir.

Arun sait que, dans un instant, elle se précipitera au premier étage où tout ce qu'elle a avalé sortira d'elle, rejeté.

Mrs. Patton ne fait plus de cuisine pour Arun. Pas plus qu'elle ne se met en quête de nourriture pour sa famille. Allongée sur une chaise longue dont la toile s'affaisse sous elle, ou sur une immense serviette étalée sur l'herbe, elle semble assommée, éblouie par le soleil ; elle ne bouge que pour verser du flacon un peu d'huile dans la paume de sa main et s'en enduire les épaules, les jambes, le cou, l'arrière de ses bras et ses coudes. Elle le fait avec des gestes lents et voluptueux, montant, descendant…, caressant tendrement sa chair flasque et ridée ; ses lunettes noires masquent son expression. Elle ne lève les yeux que lorsqu'elle entend que quelqu'un entre dans la maison ou en sort, et elle l'interpelle d'une voix nonchalante : «Hé! ho! Tu viens profiter du soleil?»

Cette seule idée horrifie Arun, car cela implique que l'on se dénude en public. Il n'a jamais vu autant de chair féminine. Et à la voir marquée par l'âge, ridée, ratatinée et flasque, il éprouve non pas tant du dégoût qu'un sentiment de détresse. Son propre corps se contracte de gêne, se replie sur lui-même. Détournant les yeux, il essaie de glisser doucement sans être vu.

Mr. Patton désapprouve également, c'est évident. Il a claqué la porte de sa voiture et en se dirigeant vers la cuisine, il grommelle : « Tu n'as pas encore fini de bronzer ?

— Je ne sais pas... », répond-elle gaiement.

Mr. Patton entre, prend une boîte de bière dans le réfrigérateur et va s'affaler sur le canapé, devant le téléviseur.

Il règne à présent dans la cuisine une certaine atmosphère de désolation. Là où il y avait auparavant tant d'allées et venues et d'activité, de préparatifs culinaires ambitieux et d'odeurs inédites, il y a plus qu'un fouillis de pots et de cartons vides, ouverts et vidés par les différents membres de la maisonnée quand ils ont eu faim, puis abandonnés et gisant lamentablement sur les planches ou sur les tables.

Arun, obligé de se débrouiller tout seul, a perdu l'appétit. Il s'attarde en ville, s'achète un sandwich au fromage chez un traiteur et s'assied pour le manger sur un banc du square, sous les immenses érables poussiéreux, avant de rentrer chez les Patton. De jeunes couples étroitement enlacés sont assis sur d'autres bancs. Un vieil homme va et vient avec une fine canne et retourne les feuilles comme s'il s'attendait à trouver quelque chose dessous. Un jeune homme, la tête entourée d'un foulard rouge, gratte une guitare dont il tire des sons si mélancoliques qu'ils donnent à Arun envie de hurler à la mort comme un chien. Un jour, il entre au hasard dans un cinéma, s'assied au milieu de mangeurs de popcorn, et subit un film dont le héros est un gros lapin qui pénètre dans le monde des humains et prouve qu'il est leur égal. En se traînant vers la sortie, il tombe sur l'un des étudiants indiens de son université. Tous les deux sont gênés de se rencontrer à un tel spectacle, tout seuls. Arun apprend que les autres membres du groupe sont partis visiter Washington et ne seront de retour qu'à la rentrée, en septembre, le jour de la fête du Travail.

Il est difficile de croire que les aiguilles de la pendule de l'hôtel de ville vont bouger, et que vont tomber une à une les feuilles du calendrier pendu au mur de brique, derrière le comptoir de *muffins* et de *doughnuts* du traiteur. L'été paraît arrêté dans le ciel, bloqué dans son flamboiement torride, trop découragé pour avancer. Les arbres se dessèchent, la poussière pèse sur leurs feuilles qui ont atteint leur plein développement et ne peuvent plus se déployer davantage.

À la tombée du jour, il prend à contrecœur le long chemin du retour, jusqu'à Bayberry Lane ; il passe devant des jardins plongés dans l'obscurité où la fumée, qui s'échappe en spirales de tous les barbecues, sent la chair calcinée, la nourriture gaspillée. Les cigales stridulent sans répit et des essaims de moustiques sortent des bois, de la nature sauvage. Celle-ci était là tout le temps, faisant le guet : c'est elle qui a pris possession de la ville, de la maisonnée, de Mrs. Patton.

## 26

Encore un matin de chaleur fiévreuse. La lumière du soleil, qui entre à flots par toutes les fenêtres, s'abat sur les tapis fanés, révèle la poussière là où l'on n'a pas fait le ménage.

Mais, aujourd'hui, Mrs. Patton est dans la cuisine. Elle porte toujours le même maillot à carreaux mauves et ses sandales bleues, mais, au moins, elle est debout et s'active à la table de la cuisine. Peut-être reviendra-t-on maintenant à la normale. Cet espoir s'envole lorsqu'elle adresse à Arun un de ses nouveaux sourires coquins. Elle met du rouge à lèvres à présent, très rose, seulement elle ne s'y prend pas très adroitement : il y en a des traces sur ses dents. «Ah, vous voilà! s'écrie-t-elle d'une voix trop sonore. Venez avec nous! Nous allons passer la journée à l'étang. Il fait trop chaud pour prendre un bain de soleil devant la maison et papa ne veut pas nous payer une piscine, alors Mélanie et moi, nous avons décidé...» — elle jette un regard malicieux en direction de la porte de la salle de séjour — «... d'aller nous baigner toutes seules. Vous venez?»

On est samedi. Arun ne peut prétexter qu'il a du travail. Il reste interdit, accablé, lorsque Mélanie apparaît à la porte, en maillot, une grande chemise jetée sur ses épaules. Elle lui lance un regard de défi; il cherche alors désespérément de bonnes raisons pour se dérober. Que Mrs. Patton ne veut pas écouter. Non, elle ne veut pas, absolument pas, déclare-t-elle, les mains tendues, paumes dressées. «Non, non, non. Nous y allons tous les trois. Rod et papa sont partis faire de la voile sur le lac Wyola et nous ne resterons pas ici à attendre leur retour, ça non!»

Arun doit retourner dans sa chambre pour chercher sa serviette et son caleçon de bain. Puis il suit Mélanie dans l'allée où les attend Mrs. Patton avec des paniers de matériel : huiles, lotions, livres de poche et lunettes de soleil, sandwiches et limonade. Elle ouvre la marche, de ce pas souple et alerte qui est le sien à présent et qui galvanise ses maigres mollets; elle les entraîne à travers une brèche dans les buissons, jusque sur un des chemins de la forêt. Mélanie et Arun la suivent en silence. Ils essaient de trouver le moyen de marcher sans jamais être côte à côte ni trop près l'un de l'autre. Mais qui doit suivre l'autre? Le problème est embarrassant. Finalement, Arun renonce à traîner — Mélanie fait ça mieux que lui —, et il la dépasse pour rejoindre Mrs. Patton; il doit d'ailleurs l'aider à porter les paniers. Il lui en prend un des mains et elle le remercie avec un sourire radieux et barbouillé de rouge à lèvres. Puis elle s'élance de nouveau en avant avec assurance. Il l'entend chantonner : « *C'est l'été, la vie est be... e...lle.*»

Ils marchent, le long de chemins ravinés, sur plusieurs couches molles d'aiguilles de pin. Les bois résonnent du stridulement inlassable des cigales, comme si le soleil jouait sur leurs nerfs, comme si elles étaient de petites harpes suspendues aux arbres. Un oiseau crie d'une voix rauque, s'envole, va crier un peu plus loin, c'est toujours la même vilaine note discordante. Mais on ne voit pas d'oiseaux ni d'animaux. Se cachent-ils, ou ont-ils fui ? Ou peut-être sont-ils partis, car les maisons de Edge Hill commencent à gagner du terrain : on aperçoit un pan de mur par-ci, un toit par-là, des draps séchant sur une corde à linge, un nain de jardin au clin d'œil énigmatique et les doigts dans le nez. Arun sent que ses cheveux commencent à lui chatouiller la nuque, il va faire chaud. Il transpire déjà, les paumes de ses mains se gonflent et sont moites. Pourquoi les gens viennent-ils habiter près de cette nature sauvage et obscure jusqu'à en faire partie ? La ville est petite sans doute et a peu de choses à offrir, mais il préfère de tout son cœur le bureau de poste, les boutiques, les pressings et les magasins d'encadrement, à ce rideau de verdure rampant et insidieux, à ces longues herbes agitées d'une vie mystérieuse, à ces buissons aux baies vénéneuses, — de couleurs si éclatantes ou si pâles. Il bute sur une racine, manque de tomber et doit reprendre son équilibre pour ne pas renverser le contenu du panier.

À bout de souffle, il s'arrête un instant pour se remettre ; Mélanie apparaît alors sur le chemin, mâchonnant une herbe, la tête penchée, l'air renfrogné. À la lumière tamisée du sousbois, son visage n'est pas seulement bouffi, il est écorché et enflé, sa peau est couverte de boutons. Elle lance à Arun son regard le plus méprisant, et s'écarte, refusant ostensiblement de passer à côté de lui. Il a envie de lui crier «Mélanie !», de quêter sa compagnie, son attention, mais il se retient et se remet en route.

Le chemin devient maintenant très abrupt. Arun doit se concentrer pour arriver à descendre la pente sans faire tomber le panier. Il pose soigneusement les pieds sur les traverses formées par les racines des arbres, et fronce les sourcils d'appréhension devant les difficultés de cette descente.

Tout en bas, il y a l'étang où l'on va nager. Mrs. Patton est déjà au bord de l'eau, debout sur une grosse pierre, comme si elle posait pour une photo. Elle se retourne en riant. «Sympa, hein, Aa... run?

— Très sympa», répond Arun, d'une voix lamentable. Il ruisselle de sueur et se baigner lui ferait du bien, mais c'est une activité qu'il a toujours détestée à l'école, où la piscine était couverte d'écume verte puant la sueur humaine et, de plus, il n'a jamais nagé dans un étang. Il se demande si l'eau est propre et quelles sortes d'animaux risquent de s'y cacher. Il ne peut s'empêcher de la contempler d'un œil soupçonneux.

L'étang étincelle innocemment; il forme une sorte de cercle entre les rochers et les pins qui le surplombent. Mrs. Patton les a amenés sur une plate-forme sablonneuse où il n'y a ni pique-niqueurs ni nageurs; ceux-ci pullulent de l'autre côté de l'étang, près du parking. Des corps dénudés y luisent dans le miroitement de la chaleur sur le sable. Il y a relativement peu de monde dans l'eau : un petit groupe de garçons qui barbotent en s'éclaboussant, un chien qui maintient avec effort sa tête à la surface de l'eau en pagayant — invisiblement — de ses quatre pattes, une fille sur un radeau, apparemment endormie, se laissant aller à la dérive. Mais, sur la rive, les gens font un tel tapage, jouant avec des balles de caoutchouc, poussant à fond le volume sonore de leur radio, qu'ils donnent l'impression d'être très nombreux. C'est aussi cela qui arrête Arun, il ne s'attendait pas qu'il y ait tant de monde. Il préférerait n'avoir pas de témoins lorsqu'il affrontera précautionneusement l'eau.

Mélanie est sortie du bois derrière eux et, la mine renfrognée, se laisse tomber sur le sable. Elle tire d'un sac des barres chocolatées, les sort de leur emballage et mord dedans avec colère. « Tu sais, chérie, il y a des sandwiches dans le panier », soupire Mrs. Patton.

Arun est debout au bord de l'eau, se demandant toujours si ce n'est pas dangereux de plonger dans la couche épaisse d'herbes aquatiques qui flottent de leur côté (c'est peut-être ce qui a éloigné les autres nageurs). Il s'aperçoit alors que Mrs. Patton, debout pieds nus sur la serviette qu'elle a étendue sur le sable, enlève tranquillement son maillot, le faisant glisser de ses hanches et de ses épaules. Plutôt que de la voir dénudée, Arun brandit les bras comme un homme en fuite et, prenant son courage à deux mains pour affronter l'eau froide, plonge précipitamment et tombe avec maladresse et à grand bruit sur le ventre, exactement, se souvient-il, comme cela se passait pendant toutes ses années d'école. Puis il s'éloigne du rivage, traverse la masse flottante des herbes aquatiques et nage jusqu'à l'endroit où l'eau est transparente. Il n'est pas sûr d'avoir la force d'atteindre le milieu de l'étang où se dresse un rocher et un unique pin tout tordu qui semble offrir un refuge. Il s'élance avec décision dans cette direction, mais se fatigue ; il fait alors la planche en agitant les jambes de toutes ses forces pour donner l'impression qu'il n'a rien perdu de son énergie. Maintenant qu'il contribue au vacarme général, il commence à éprouver un certain plaisir — dû, chose étrange, à l'eau, l'élément qui l'éloigne de son moi habituel et lui ouvre un monde de possibilités.

La lassitude le gagne, bien sûr, et, de plus, le groupe des garçons turbulents semble se rapprocher soudain et menace de le rejoindre. Il retourne alors vers la rive, nageant la brasse en aspirant de grandes gorgées d'air, avec l'espoir que l'opacité verte de l'eau dissimulera son manque de vigueur. Il est soulagé d'arriver enfin sur les galets et de poser les pieds sur le sable. En se penchant pour ramasser sa serviette, il lance un coup d'œil furtif vers la silhouette allongée de Mrs. Patton. Elle a mis ses lunettes de soleil et il ne peut voir si elle dort ou non : sa bouche est entrouverte et les muscles de son cou sont détendus comme des cordes lâches. Elle repose, bras et jambes écartées, sur la serviette rose ; une autre serviette, plus petite, couvre seulement les parties de son corps qu'Arun redoute le plus de voir. Le reste de sa personne s'étale mollement. Elle a, à côté de sa tête, une petite radio en plastique qui est allumée : on a lancé une campagne de collecte de fonds pour une radio publique et deux jeunes annonceurs offrent aux contributeurs des gobelets à café et des parapluies ; on n'a qu'à se faire connaître et envoyer sa souscription au numéro 1-800.

Mélanie n'est plus là. À sa place, il y a maintenant un tas d'emballages de sucreries, bruns et poisseux.

Que faire à présent ? Il a beaucoup nagé. Il n'a pas envie de s'asseoir à côté de Mrs. Patton, étant tous les deux dévêtus, pour écouter la campagne de collecte de fonds. Il monte sur la pente sablonneuse se mettre à l'ombre des arbres, s'asseoir peut-être sur une touffe d'herbe pour être plus au frais. Il regrette de n'avoir pas apporté de livre, et n'ose prendre la radio, cela réveillerait Mrs. Patton.

Mais il n'est pas plus tôt assis sur l'herbe que les insectes passent à l'attaque ; moustiques, mouches, moucherons, assez nombreux pour rendre fou quelqu'un qui recherche la tranquillité. En quelques minutes, ils sont entrés dans ses cheveux, ses yeux, ses narines. Dégoûté, il se lève et s'enfonce dans la forêt, avec l'espoir d'échapper au fléau.

Il s'engage sur un autre chemin ; la terre y est humide et meuble sous ses pas. Ce sentier semble mener quelque part, et il le suit en écartant sur son passage les branches des buissons et des plantes grimpantes ; il parvient à une clairière envahie de plantes à l'aspect vénéneux, à la tête noire et à l'odeur fétide. Mélanie est là, couchée par terre. Elle n'est pas allongée sur le dos, ni couverte d'une serviette, mais face contre terre, où elle s'est manifestement démenée et débattue. À la vue du sol autour d'elle, humide et jaune, on comprend que ce ne sont pas les étranges plantes vertes qui dégagent cette odeur acide, mais ses vomissements. Elle gît dans son vomi, ses cheveux en sont maculés, son visage est penché d'un côté, et de sa bouche il en coule encore.

« Mélanie, chuchote Arun, Mélanie, tu es morte ? »

Elle a un mouvement convulsif et répond par un grognement, puis elle frotte sa figure, barbouillée de terre et de vomissure. Ses yeux sont hermétiquement clos. « Va-t'en. Va-t'en », crie-t-elle. Elle frappe le sol de ses poings, puis, avec un grognement, s'agenouille péniblement, s'enfonce un doigt dans la gorge et se remet à vomir abondamment.

Arun a un mouvement de recul. Il reste figé, les mains crispées sur ses hanches, regarde autour de lui, cherchant de l'aide. Mais les bois n'ont à offrir que ces feuilles, ces branchages, ces brindilles, ces lianes, dont il se méfie tant. Elles murmurent, menaçantes, ou peut-être sont-ce les moustiques. Ne voyant personne, il s'approche d'elle avec précaution — elle halète, mais s'est calmée —, et il pose une main sur son épaule, dont la nudité le surprend, et le fait reculer vivement.

« Mélanie, dit-il, désespéré, est-ce que j'appelle ta mère ? » La voir ainsi, prostrée par terre et tremblante, lui donne l'impression que ce pourrait être une scène de cinéma — une jeune fille en pleurs aux pieds du héros —, mais ce n'est pas cela du tout, bien sûr. Cette scène ne se joue pas à une distance rassurante, aplatie et réduite au noir et blanc; elle se déroule en plein jour, en trois dimensions et elle est malodorante. Ils ne sont pas des personnages de rêve, ni même de cinéma; il n'est pas le héros ni elle l'héroïne; la raison de ses larmes, il l'ignore. Ce n'est ni une maquette ni un dessin animé comme il en a vu tout l'été; ce qu'il voit là, c'est une véritable douleur, une véritable faim. Mais quel genre de faim une personne si rassasiée peut-elle éprouver? D'une voix rauque, il répète : « J'y vais, Mélanie, j'y vais? » Mais il est cloué sur place, la réalité de cette scène le tient prisonnier. Il ne peut s'échapper et c'est Mrs. Patton, partie à leur recherche, qui survient et les trouve.

« Mon Dieu, dit-elle, mon Dieu… »

# 27

Si l'été était un ballon doré qui avait été lancé en l'air dans le ciel, très haut, très haut, il descend maintenant très bas, très bas. Il a atteint son apogée, est resté suspendu en plein ciel pendant une éternité, mais à présent le soleil baisse tout doucement, dans un soupir à peine audible. Les bois et les prés, que sa chaleur avait fait chatoyer, frissonnent et se ternissent, s'éteignent. Tout est de nouveau normal.

Les familles sont rentrées de vacances, mais portent encore des shorts pour que l'on voie leur bronzage estival. Les cars scolaires jaunes et les navettes bleu et blanc de l'université recommencent à rouler bruyamment sur les routes de campagne. C'est la rentrée, la ville se remplit d'étudiants, tous indifféremment jeunes et pleins d'entrain, chargés de tout le matériel nécessaire pour que l'année scolaire soit heureuse et profitable. Des canettes de bière sont jetées à la volée des vitres des voitures et s'entassent le long des trottoirs poussiéreux; de la musique martèle l'air de rythmes tribaux. Les magasins ont suspendu des banderoles souhaitant la bienvenue aux étudiants de retour, et se préparent à vendre d'énormes quantités de papeterie, de lampes de bureau, de corbeilles à papier, de posters.

Arun a mis ses affaires dans la valise en faux cuir, dans laquelle il les avait apportées. Il ne sait que faire du paquet arrivé d'Inde le matin même, avec ses innombrables emballages de papier brun et de ficelle, chacun portant la marque de l'application maladroite et impatiente de sa sœur; ce paquet lui est providentiellement arrivé chez les Patton juste avant qu'il ne les quitte pour retourner au campus et à la chambre qui lui a été allouée à la résidence universitaire, cette fois au même étage que les étudiants indiens. Il contient un gros paquet de thé et un châle en laine marron, les deux objets étant censés l'aider à passer l'hiver. Mais on n'a pas prévu qu'il n'y a plus de place dans sa valise : il s'y trouve exactement la même quantité de chemises, de sous-vêtements et de livres qu'il avait apportée, il n'a rien usé, rien jeté. L'été qui s'est écoulé si lentement, si péniblement, n'a laissé aucune trace de son passage.

Il prend la boîte de thé d'une main, le châle plié de l'autre. L'une est lourde, l'autre léger. L'une est dure, l'autre doux. C'est un cadeau asymétrique. Il les soupèse, cherche à les équilibrer.

Il jette un coup d'œil sur le palier. La porte de la chambre de Mélanie est ouverte; il voit son couvre-lit blanc soigneusement tiré sur le lit de cuivre. Il voit le miroir brillant sur la commode, contre lequel est appuyé un ours en peluche avec un ruban rouge. Mélanie est partie. On l'a emmenée dans une institution, dans le Berckshire, où on sait traiter les névroses des adolescentes : boulimie, anorexie, dépression, comportement compulsif, repliement, hystérie. (Mr. Patton a pris un travail de nuit pour payer la note.) On envoie des rapports sur ses progrès. Elle joue au tennis, elle a aidé à confectionner des cookies à la cuisine. Elle se fait des amies. Elle a pris du poids. Elle peut manger des céréales, du pain, du beurre, des carottes bouillies, boire du lait sans vomir ; elle boit un chocolat chaud le soir. (Rod a heureusement obtenu une bourse de football.) On la trouve docile et obéissante. Il y a une telle amélioration que sa famille peut espérer la reprendre bientôt. Pas à temps, malheureusement, pour le nouveau semestre à l'école ; il faut patienter encore un peu.

En attendant, la pièce est vide, propre et astiquée, fraîche et agréable comme elle ne l'a jamais été tant que Mélanie l'occupait. Mrs. Patton a nettoyé elle-même le parquet, à genoux.

Arun descend à sa recherche, le thé dans une main, le châle dans l'autre.

Mrs. Patton ne prend plus de bains de soleil devant la maison. Les journées sont encore chaudes et calmes, baignées d'une luminosité argentée, mais elle semble avoir pris en horreur la lumière, le grand air. Elle ne passe plus autant de temps dans la cuisine, n'a plus jamais proposé à Arun de l'emmener faire des courses, quoique les provisions aient considérablement réduit ; il ne reste presque plus rien dans les pots et les bouteilles. Elle porte des jupes et des chemisiers à manches longues. Elle a exprimé un timide intérêt pour les médecines traditionnelles et parle de s'inscrire au cours de yoga ou d'astrologie du Centre d'activités de loisirs.

Un jour, Arun a entendu Mr. Patton grommeler : « Il y a encore un tas de catalogues qui sont arrivés pour toi. Seigneur ! c'est quoi cette numérologie ou cette gémologie ? Et ces cours karmiques ? À quoi ça rime, tout ça ? Bon sang, dans quoi vas-tu te fourrer ? »

Catalogues, brochures, prospectus s'entassent autour d'elle, qui est assise sous le porche, immobile, sur une chaise. Elle tient sur ses genoux un tableau d'acupuncture, mais son regard est fixé ailleurs ; à travers le grillage, elle contemple la cour qui serait vide sans le chat qui poursuit silencieusement un insecte dans le parterre de fleurs fanées et desséchées. Tout dans cette scène donne une impression de lassitude, d'épuisement, ou de flétrissement.

Arun s'approche doucement d'elle. Trop doucement, car elle sursaute et, effrayée, porte ses mains à son cou.

« Excusez-moi », dit Arun. Il s'éclaircit la gorge. « Je... euh.. je vous ai apporté des cadeaux. Je m'en vais maintenant, Mrs. Patton.

— Maintenant ? répète-t-elle, étonnée.

— Le semestre commence demain, lui rappelle-t-il. Je dois retourner à la résidence universitaire. J'ai fait mes bagages.

— Oh, mon Dieu, dit-elle d'une voix faible.

— Je vous en prie, acceptez ces cadeaux, mes parents les ont envoyés pour vous », dit-il, recourant à un mensonge et espérant que mamanpapa ne devineront jamais le sort de leur envoi. Il lui tend la boîte de thé, qu'elle prend avec un murmure de surprise polie. Elle la tourne et la retourne dans ses mains, étudie l'étiquette avec l'attention qu'elle porte habituellement aux produits de consommation et demande avec intérêt : « C'est de la tisane ? » Arun déploie le châle marron et le dispose soigneusement sur les épaules de Mrs. Patton. Une odeur s'en échappe, l'odeur d'un autre pays : de boue, d'herbe, de fumée, de cendres. Elle engloutit Arun, comme une rivière, ou comme un feu.

Mrs. Patton regarde Arun, puis le châle sur ses épaules, sans comprendre. Elle en soulève un pli et le renifle. Son visage s'éclaire lentement sous l'effet d'une surprise émerveillée. « Oh, Aa... run, mais c'est tout simplement magnifique », balbutie-t-elle. Elle répète : « Merci, merci », et ses mains retiennent à son cou les deux pans du châle.

Arun se retire sans bruit, monte chercher sa valise, et sort par la porte de la cuisine, laissant Mrs. Patton sous le porche, avec la boîte de thé sur les genoux et le châle autour des épaules.

DANS LA MÊME COLLECTION

À paraître

*Composition Bussière*
*et impression Bussière Camedan Imprimeries*
*à Saint-Amand (Cher), le 1ᵉʳ février 2001.*
*Dépôt légal : février 2001.*
*Numéro d'imprimeur : 2604-005207/1.*
ISBN 2-7152-2171-1./Imprimé en France.